LIRE pour votre ENFANT

LIRE pour votre ENFANT

Techniques qui donnent vie au langage pour vos tout-petits

ALISON L. R. DAVIES

 **Broquet**

97-B, montée des Bouleaux,
Saint-Constant, Qc, Canada, J5A 1A9
www.broquet.qc.ca   info@broquet.qc.ca
Tél. : 450 638-3338   Téléc. : 450 638-4338

Catalogage avant publication de Bibliothèque et Archives
nationales du Québec et Bibliothèque et Archives Canada

Davies, Alison, 1972-

  Lire pour votre enfant

  Traduction de : Reading to your baby.

  ISBN 978-2-89654-199-7

  1. Lecture - Participation des parents. 2. Lecture
(Première enfance). 3. Nourrissons - Livres et lecture.
I. Titre.

LB1139.5.R43D3814 2010   649'.58   C2010-941492-6

POUR L'AIDE À LA RÉALISATION DE SON PROGRAMME
ÉDITORIAL, L'ÉDITEUR REMERCIE :
Le gouvernement du Canada par l'entremise du Programme
  d'aide au développement de l'industrie de l'édition (PADIÉ) ;
  la Société de développement des entreprises culturelles
  (SODEC) ; l'Association pour l'exportation du livre
  canadien (AELC).
Le gouvernement du Québec – Programme de crédit d'impôt
  pour l'édition de livres – Gestion SODEC.

Titre original : *Reading to your baby*

Publication originale en 2010 au Royaume-Uni
par Carroll & Brown Publishers Limited
20 Lonsdale Road
London NW6 6RD

Managing Art Editor Emily Cook
Photography Jules Selmes

Texte © Alison L. R. Davies 2010
Illustrations et compilation
© Carroll & Brown Limited 2010

Pour l'édition canadienne en langue française :
Traduction : Jean Roby et Christiane Laramée
Correction d'épreuves : Diane Martin
Infographie : Nancy Lépine

Copyright © Ottawa 2010 Broquet inc.
Dépôt légal — Bibliothèque et Archives nationales du Québec
4e trimestre 2010

Imprimé en Malaisie

ISBN 978-2-89654-199-7

Préface par

Quelle idée bizarre : faire la lecture à votre enfant !
Ce n'est quand même pas comme s'il était prêt à
apprendre à lire, n'est-ce pas ? Alors, pourquoi s'en
soucier ? Il y a plusieurs raisons pour ce faire.

La lecture ne se limite pas seulement à comprendre le son des lettres ou comment lire les
mots. La lecture, c'est aussi apprendre que les
livres sont de merveilleux endroits à visiter. Si
vous faites la lecture à votre enfant, il apprendra
qu'il y a quelque chose d'intéressant et d'amusant qui se produit chaque fois que vous ouvrez
les pages de cet étrange objet. Il apprendra aussi
comment les livres « fonctionnent ». Les livres
fonctionnent presque toujours parce que des
choses différentes se produisent de page en page
et, si vous tournez les pages dans le bon sens,
il se produit quelque chose de plus satisfaisant
encore. Il en est ainsi parce que les auteurs et
les illustrateurs conçoivent leurs livres en fonction d'une « blague » ou d'une « chute » à peu
près comme le fait un humoriste sur scène.

La lecture montre aussi à votre petit la valeur
particulière de la langue écrite. Il est facile d'oublier
que notre façon de parler et notre façon d'écrire
sont, en fait, comme deux dialectes différents, aussi
loin l'un de l'autre que, disons, quelqu'un parlant
avec un fort accent madelinot et quelqu'un d'autre
s'exprimant avec un fort accent marseillais.
Lorsque nous faisons la lecture aux enfants, nous
lisons le dialecte écrit à voix haute : il s'ensuit que
cela aide votre enfant à percevoir l' « air » de
l'écriture.

Lire, c'est aussi partager l'un avec l'autre les
choses que nous estimons importantes. L'écriture

Michael Rosen

a été inventée comme moyen de conserver des idées, des sentiments et des faits ; il en résulte que les livres sont un peu comme des frigos : on y met ce qui pourra servir plus tard. Puis, quand nous les ouvrons, tout y est ! Pour les enfants, c'est un concept assez difficile à saisir. Plusieurs années durant, le doute persiste en eux : comment et pourquoi les livres peuvent-ils conserver toutes ces choses ? Les enfants nous entendent leur lire des livres et il y a le mystère des livres qui « sonnent » plus ou moins les uns comme les autres. Et, en fait, l'une des raisons qui explique que les enfants aiment qu'on leur lise les mêmes livres encore et encore, c'est qu'ils sont en train d'apprendre comment les livres réalisent ce miracle d'emmagasiner les idées, les sentiments et les faits.

La lecture, c'est aussi une affaire de triangles ! Nous savons combien il est important de regarder l'enfant dans les yeux quand nous lui parlons. Toutefois, ce n'est pas la seul manière de le regarder. Nous voulons aussi que nos bébés et très jeunes enfants découvrent le monde de façon sécuritaire, tout en sachant qu'ils sont aimés sans cesse. L'un des meilleurs moyens pour ce faire, c'est d'avoir le petit sur vos genoux, le regard tourné vers l'extérieur, mais tenu de manière sûre et affectueuse. Ensuite, alors que vous tournerez les pages d'un livre, votre enfant entendra votre voix tandis que des images du monde extérieur apparaîtront, changeront et réapparaîtront.

C'est aussi une affaire d'éducation visuelle : les images ne sont pas la réalité. Par exemple, pour comprendre le monde, les enfants doivent découvrir que, dans une image, « grand » et « petit » représentent ici de grandes choses et de petites choses, mais que là « grand » correspond à un objet proche et « petit », à un autre plus éloigné. Et ce n'est là qu'un tout petit élément de ce que les enfants doivent apprendre des images pour être capables de les comprendre.

Enfin, je dirai ceci : les livres pour enfants sont des merveilles pour les parents. Nombre de ces livres nous aident, comme adultes, à comprendre des choses relatives à nos rapports avec nos enfants. Prenez l'un des plus célèbres : *Max et les maximonstres* de Maurice Sendak. Max est si vilain qu'il est confiné à sa chambre. À la fin du livre, nous découvrons néanmoins qu'il existe quelqu'un qui l'aime toujours, bien qu'il soit si vilain. Peu importe l'impact que le livre aura sur les enfants, je sais, comme parent, que cela m'a fait réfléchir profondément et souvent sur ce qu'il convient de faire avec un enfant désobéissant. Si nous leur en donnons l'occasion, les livres pour enfants ont beaucoup à nous dire à nous aussi.

Table des matières

Introduction

Le conte est presque aussi ancien que l'acquisition du langage. C'est un élément essentiel de la communication, un moyen de créer des liens, d'établir un décor commun et de transmettre de l'information. C'est aussi un fantastique outil de création qui peut être utilisé à tout âge pour stimuler l'imagination et explorer le langage. Quoique ce ne soit pas la même chose que de lire à voix haute, les deux manières de raconter des histoires sont liées et nous évoluons de la lecture d'histoires vers la création de contes que nous voulons partager avec les autres. Ainsi, la lecture est la première étape sur la voie de la création et, éventuellement, du conte et du partage d'histoires.

Ce livre vous présente la meilleure manière de faire la lecture à votre enfant et de développer cette habileté pour tendre vers l'art de conter. Il vous informe petit et encourageront une démarche de lecture. Chaque chapitre comprend des activités suggérées que vous pouvez mettre en pratique dès le premier jour… et je parle vraiment de son premier jour ! Il n'est jamais trop tôt pour commencer à faire la lecture à votre enfant.

Lorsqu'un bébé vient au monde, seulement 25 % de son cerveau est développé. Par conséquent, ce qui se produit à compter de ce moment est crucial. Entraîner votre bébé dans une routine de lecture stimulera ses sens et favorisera son développement à plusieurs points de vue.

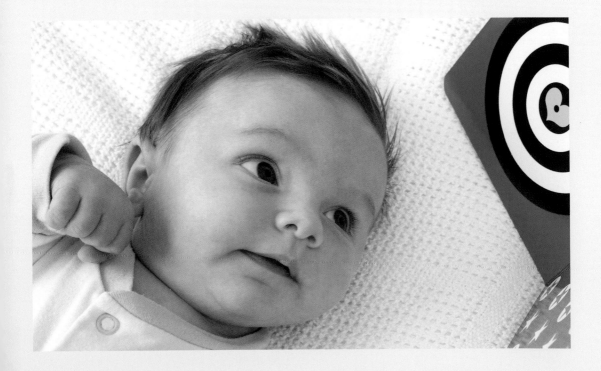

La lecture constitue une expérience qui lie beaucoup le parent et l'enfant. Il n'y a rien de plus réconfortant pour un petit que l'intimité qui accompagne le partage d'une histoire. L'enfant se sent en sécurité et réagit à la voix et à la proximité du parent. Pour les parents, le temps consacré à la lecture partagée les assure de se lier à leur enfant et de mettre le reste du monde en veille. Durant les quelques premiers mois qui suivent la naissance, il peut s'avérer difficile pour vous de prendre plaisir à être avec votre petit. La pression et la fatigue vous mettent à l'épreuve et passer à travers la journée peut relever plus de la corvée que du plaisir. Vous assurer de réserver du temps pour une session de lecture est une façon pour vous et votre enfant de vous détendre ensemble. Traitez ce moment comme une occasion spéciale, un luxe dont vous pouvez profiter et un moyen de partager votre amour.

Un autre avantage des sessions de lecture régulières, c'est qu'elles aident votre enfant à se familiariser avec les livres et avec l'activité de lecture. Les recherches ont démontré que les enfants qui ont peu d'expérience avec les livres dans leur tout jeune âge sont plus sujets à les éviter en vieillissant. Il en est ainsi parce qu'ils ne se sentent pas à l'aise avec les livres, leur expérience avec eux étant limitée. Il peut être difficile de changer des comportements qui sont acquis à un stade si jeune du développement de l'enfant. Lui faire la lecture régulièrement, chaque jour à la même heure, insérera peu à peu votre tout-petit dans une routine de lecture de livres. La routine est l'amie de votre petit : il se sentira confiant et rassuré parce qu'il saura à quoi s'attendre. Cela lui procurera un sentiment de satisfaction. Il appréciera ces sessions et aura hâte qu'elles arrivent. Ainsi, les livres sont perçus très tôt comme un délice, et non comme quelque chose à redouter ou qui fait peur.

Faire la lecture à votre enfant l'habituera au langage. À un tout jeune âge, votre bébé ne saisira pas ce que vous direz, pas plus qu'il n'appréciera les

images ; cependant, il commencera bientôt à identifier des mots et des sentiments d'après le ton de votre voix. Le bébé que vous portez peut reconnaître votre voix (et, souvent, celle de son père). Une fois né, il sait qui vous êtes et il a déjà un lien solide avec vous. Votre façon d'user de votre voix, de son ton et de son débit, peut faire une énorme différence dans sa compréhension. Il comprend beaucoup de choses seulement en reconnaissant différentes hauteurs et inflexions, ce qui lui fait percevoir que vous êtes inquiète ou détendue. Quand vous faites la lecture à votre bébé, vous lui donnez aussi l'occasion d'être en contact avec un vocabulaire plus vaste et d'entendre des mots qui peuvent être plus inhabituels que ceux d'une conversation courante.

En grandissant, votre enfant retirera plus de chaque session de lecture. Lentement, la qualité de son attention augmentera. Il sera capable de tendre la main, de toucher au livre et de donner un sens aux images multicolores. Ces choses simples rendent la lecture plus accessible et l'aideront à étirer les « muscles » de son imagination.

Observer la gamme d'expressions de votre visage procure à votre tout-petit de précieux indices sur la trame de l'histoire et l'aide à reconnaître le langage. Avec le temps, il pourra participer et parler d'une histoire. Il sera même en mesure de proposer des suggestions pour la suite d'une histoire. Bientôt, il lira l'histoire à voix haute et inventera ses propres histoires pour les partager avec vous. Peut-être les interprétera-t-il devant vous et se livrera-t-il à des sessions régulières de lecture et de mise en scène.

D'ici là, il faut pourtant commencer à faire la lecture à votre enfant et c'est pourquoi il est préférable de vous y mettre dès sa naissance. Savoir comment procéder et quels livres choisir peut paraître relever du défi. Quel est le meilleur moment pour faire la lecture? Doit-on lire des histoires différentes aux filles et aux garçons? Comment rendre passionnante une histoire avant le dodo sans surexciter votre enfant? Comment savoir si vous faites ce qu'il faut ou si votre petit est vraiment branché sur le conte? Comment pouvez-vous aider votre petit à éveiller son intérêt pour l'histoire? Toutes ces questions — et beaucoup d'autres encore — trouveront leurs réponses dans ce livre. Des suggestions de types de livres seront offertes à chaque étape, de même que des idées de contes de plus grande ampleur avec des groupes, pour des fêtes et avec des enfants un peu plus vieux. Il n'est jamais trop tôt pour vous initier à cette merveilleuse compétence et encourager votre tout-petit à y participer.

Il n'existe pas de formule fixe pour utiliser ce guide. Vous pouvez lire le livre du début à la fin ou plonger dans l'un ou l'autre chapitre pour vous inspirer. Partagez-le avec des amis, d'autres membres de la famille ou des gens qui prennent soin d'enfants, mais ayez surtout du plaisir à l'utiliser. Profitez des activités et n'ayez pas peur d'essayer quelque chose de neuf. Si vous prenez du plaisir à lire et à raconter, alors votre enfant, peu importe son jeune âge, fera de même. Si vous prenez les choses à cœur et faites preuve de créativité, alors votre enfant suivra inévitablement votre exemple.

1

Partager l'amour des livres et du texte écrit
n'exige pas d'attendre que votre bébé puisse
s'asseoir et soit conscient du monde qui
l'entoure. Vous pouvez commencer alors qu'il
est dans votre ventre et poursuivre la pratique
dès sa naissance. Qui plus est, la lecture est
bonne pour l'un et l'autre : elle vous aidera à
vous détendre et à créer un lien avec votre
enfant tout en profitant au maximum de ces
premiers mois ! Ce chapitre fait le point sur
tout ce que vous devez savoir pour commencer.

Il n'est jamais
trop tôt pour commencer

Dans le ventre maternel et au-delà

On a toujours pensé qu'un bébé pouvait entendre des sons alors qu'il était dans l'utérus, quoiqu'on les croyait assourdis, comme un bruit entendu à travers un vide d'air. Récemment, des indices ont été mis au jour qui montrent que le bébé peut entendre très clairement dans le ventre maternel. L'oreille interne du bébé étant rempli de liquide, celui-ci agit comme conducteur du son.

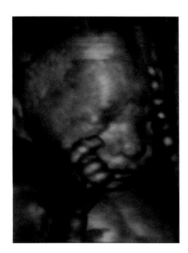

Ainsi, plutôt que le son soit distordu parce que l'oreille interne est remplie d'air, c'est tout à fait le contraire qui se produit! Cette révélation intéressante signifie que le bébé non seulement peut entendre le «travail» interne de sa mère — par exemple, les battements de son cœur et les gargouillements de son estomac —, mais qu'il peut aussi entendre des bruits extérieurs comme la musique, le claquement des portes, le bruit des pas et les voix. Quand il naît, un bébé a déjà beaucoup appris sur la vie à l'extérieur de l'utérus par les sons et les bruits que fait sa mère. On a démontré que le nouveau-né reconnaît et réagit à la voix de sa mère, à certains sons et morceaux de musique. Ainsi, un bébé peut être amené à s'endormir par des airs joués ou chantés avant sa naissance, parce qu'ils lui sont déjà familiers et qu'il se sent à l'aise et rassuré en leur présence.

Plus récemment, la recherche a démontré que le bébé peut déjà apprendre des modèles du langage et de la parole dans l'utérus. Cela peut sembler tiré par les cheveux, mais les chercheurs ont réalisé de nombreuses expériences dans ce domaine. Ils ont recueilli des «enregistrements de pleurs» de nouveaux-nés et découvert qu'ils sont remplis d'intonations et de rythmes qui correspondent à la voix de leur mère et que ces empreintes sont calquées sur la langue parlée par les parents. Les chercheurs ont aussi découvert que le bébé peut exercer — et, en fait, exerce — les muscles qu'il utilisera pour parler alors qu'il est toujours dans le ventre de sa mère.

Chose intéressante, les mêmes recherches ont démontré que des bébés nés de mères sourdes ou muettes ne pleuraient pas du tout ou émettaient des bruits très étranges, parce qu'ils n'étaient pas habitués au son de la voix de leur mère.

Ces observations mettent clairement en évidence combien la voix de la mère est importante pour le développement de son enfant. Votre bébé s'est lié à votre voix alors qu'il était dans votre utérus et, par conséquent, ce son est essentiel pour l'aider à donner du sens au monde. Quand vous y pensez, lire à voix haute n'est pas si différent de ce que vous faisiez déjà alors que vous portiez votre bébé. Ce n'est que l'étape logique suivante et, pour accélérer encore plus le processus, vous pouvez commencer avant sa naissance.

Faire la lecture au bébé que vous portez

Prévoyez une période régulière pour lire à voix haute, tout comme vous le feriez avec votre nouveau-né. Le début de la soirée est tout indiqué parce que cela vous détendra et, idéalement, détendra votre bébé dans l'utérus afin que vous profitiez tous deux d'une bonne nuit de sommeil. Il n'est pas nécessaire de choisir des livres pour enfants. Le livre que vous êtes en train de lire fait tout aussi bien. Gardez à l'esprit que cette activité vise à habituer votre bébé à l'aspect et au ton de votre voix, afin que, après sa naissance, il la reconnaisse et écoute quand vous lirez à voix haute.

Prenez votre temps et gardez la voix douce et reposante. Peu importe le contenu du livre, ce qui compte, c'est que vous lisiez calmement. Vous pouvez tenir ou frotter délicatement votre ventre en lisant, comme si vous berciez votre enfant.

Lisez environ cinq minutes — juste assez longtemps pour que votre bébé s'habitue à entendre une suite parlée de cette durée et soit prêt à dormir. Vous pourriez finir la session avec une musique relaxante. Si c'est possible, tenez-vous-en à la même musique, afin, encore une fois, de développer une familiarité. Ainsi, après la naissance de votre bébé, vous pourrez utiliser la musique comme signal pour clore la session de lecture et pour entraîner le sommeil.

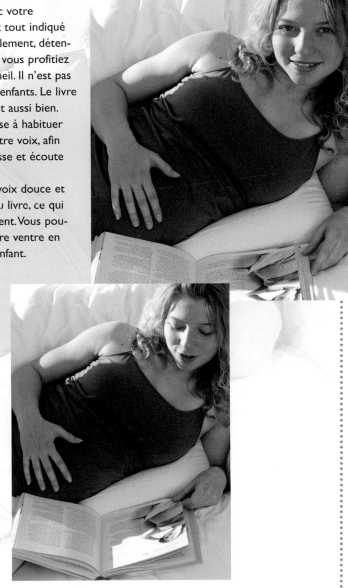

Le premier conte de bébé

Quand vous mettez au monde un bébé, dès le moment de sa naissance, de nombreuses « premières fois » s'enchaînent : le premier sourire, le premier rire ou le premier mot, le premier pas, son premier anniversaire. Chaque « première fois » est précieuse et essentielle au développement de votre enfant, mais la première histoire que vous lui conterez est probablement la plus importante. Elle donne le ton à la relation qu'entretiendra votre enfant avec la lecture et constitue la première étape sur le sentier de la découverte de soi et de la communication. Ce n'est pas l'histoire en soi, mais l'acte à proprement parler de faire la lecture à votre enfant qui développe un sain intérêt pour le langage et améliore l'alphabétisation. Nous ne nous rappelons probablement pas la toute première histoire que nos parents nous ont lue, mais le pouvoir et la magie du livre qu'elle a inoculés nous accompagne toujours !

Commencer

Peu de temps après sa naissance, votre bébé reconnaîtra votre voix ; la lecture sera donc une expérience rassurante. Par conséquent, commencez dès que vous en avez envie. Il n'est jamais trop tôt pour prendre un livre et le partager avec votre bébé. Aussi, cela peut être une manière enrichissante de passer le temps si votre bébé a des crises de larmes.

Choisissez un lieu confortable – un sofa ou le lit. Tenez votre tout petit bébé dans vos bras ou, s'il est un peu plus vieux, posez-le sur vos genoux afin qu'il puisse vous regarder. Votre bébé peut ne pas être capable de voir clairement, mais il sera malgré tout capable de distinguer le contour de votre visage, et ce

Faites preuve d'imagination

Il n'est pas nécessaire d'avoir un livre de conte sous la main pour faire une session de lecture avec votre tout-petit. Une grande illustration colorée de livre ou de magazine suffira. Montrez l'illustration à votre bébé et, à voix lente et douce, commencez à la décrire. Qu'est-ce qui est illustré ? S'il s'agit d'une personne, que fait-elle ? S'il s'agit d'un animal, qui est-il et quel son émet-il ? Inventez une histoire à partir de l'illustration. Répétez les mots importants en désignant l'image. La répétition est primordiale. En se développant, votre bébé commencera à reconnaître et à associer les sons aux images ; en se familiarisant avec les éléments constitutifs d'une histoire, il participera éventuellement et offrira ses propres suggestions.

lien visuel vous aidera à mettre votre tout-petit à l'aise. Servez-vous du langage corporel pour «faire passer» votre histoire. Cela ne signifie pas de bondir autour de la pièce, mais d'utiliser votre visage pour exprimer les émotions des personnages. Des gestes et des expressions simples, comme un sourire pour la joie ou une main sur la bouche pour la surprise, aidera votre bébé à comprendre et à ressentir l'histoire. Penchez-vous tout près et, s'il y a des illustrations, partagez-les avec votre bébé.

Si votre bébé est plus vieux, laissez-le tendre les mains et toucher le livre autant que possible. Montrez-lui que les livres sont faits pour s'amuser!

Utiliser une peluche

Une poupée, un ourson ou tout autre animal en peluche peut être utilisé comme personnage utile, tel un «ourson-lecteur», afin de renforcer l'impression de sécurité. Si vous en introduisez un dès le début, il fera alors partie du processus d'apprentissage. Votre enfant en viendra à associer son jouet en peluche favori avec le temps de lire et avec des livres et histoires pittoresques. Entrevu, le jouet éveillera une sorte de confort et d'attente de la suite. Cela favorisera la confiance chez votre tout-petit alors qu'il développe ses habiletés d'alphabétisation.

Choix de livres

Dès que vous le désirez, achetez trois ou quatre livres à garder à portée de la main. Au début, vous n'aurez pas besoin d'une foule d'ouvrages, car votre bébé ne s'intéressera qu'au son de votre voix et non à ce qui se passe dans l'histoire. Pour éviter de vous ennuyer, alternez les livres. Pour la même raison, choisissez des contes que vous aimez puisque vous les lirez encore et encore. Vous pouvez penser qu'il importe peu de conserver un degré d'enthousiasme pour les contes, mais votre bébé remarquera la hauteur et le ton de votre voix et réagira en conséquence. Craquez pour des histoires aux personnages intéressants. Ainsi, vous pourrez utiliser des expressions faciales et des tons de voix différents.

La plupart des livres illustrés contiennent des images vives et colorées qui attirent l'attention des bébés. Les livres en relief et à tirettes, ainsi que ceux dont les pages offrent différentes impressions tactiles, sont encore mieux parce qu'ils intensifient l'expérience de la lecture. Les histoires aux mots et aux sons clés répétitifs sont une excellente manière de garder l'intérêt du bébé; les contes rimés fonctionnent bien avec les enfants légèrement plus vieux. Le flux et le reflux de la rime ainsi que sa fréquence les fascineront.

Peindre des images avec les mots

Tout conte est un médium visuel. Les gens pensent souvent que c'est à cause des mots utilisés, ce qui est le cas, mais les images viennent toujours en premier. Les conteurs et les écrivains ont tendance à penser très visuellement. Ils construisent une scène dans leur esprit et la voient comme la série d'images d'un scénario-maquette, voire d'un film. Leur travail consiste alors à décrire ces images et à les transférer dans la pensée de leurs auditeurs, peu importe l'âge de ceux-ci. Essentiellement, quand nous lisons, nous ne sommes jamais vraiment très loin des illustrés que nous aimions dans notre enfance. Lire consiste toujours à évoquer des images, mais nous avons développé notre imagination à un point tel que nous pouvons le faire de nous-même, avec moins de stimulus. En d'autres mots, quand, par la lecture de livres illustrés, vous aidez

Construire un paysage commun

Cette activité peut se faire avec de jeunes enfants (2 à 3 ans); elle est basée sur un simple principe de construction d'une image par ajout d'objets. Éventuellement, vous créez un paysage auquel vous pouvez revenir encore et encore.

votre nouveau-né à faire ses premiers pas en alphabétisation, vous lui faites faire ses premiers pas sur le chemin de l'imaginaire.

Votre nouveau-né peut ne pas être capable de voir les illustrations devant lui. Il ne peut faire le point que sur des objets situés entre 20 et 38 cm; de plus, les bâtonnets et les cônes qui détectent les couleurs ne sont pas pleinement mûrs. L'enfant reconnaît peu de choses à cet âge mais, avec le temps, les images émergeront et, comme dans un film, elles auront leur vie propre. Utiliser des images est une façon magistrale de conter une histoire et la première étape logique sur la voie de la lecture. Habituer votre bébé aux images, afin qu'il apprenne à reconstituer l'histoire à partir d'elles, exercera la partie créative de son cerveau qui, le temps venu, l'aidera à établir des liens et à lire les mots.

Mon jardin

Amenez d'abord votre tout-petit à imaginer qu'il regarde une image intitulée « Mon jardin ». Pour jouer le jeu, tout ce que vous avez à dire, c'est : « Dans mon jardin, je vois… », puis vous ajoutez quelque chose à l'image. Vous pouvez le faire à tour de rôle ou, si vous avez un plus grand groupe d'enfants, former un cercle et demander à chaque enfant d'ajouter quelque chose de neuf. La chose importante dont il faut se rappeler, c'est que, une fois que quelque chose a été ajouté, on ne peut plus le retirer. À la fin de chaque tour, tous les éléments de l'« image » doivent être comptés de nouveau ; la manière simple de le faire consiste à essayer et à voir l'image visuellement. Éventuellement, vous pouvez demander à votre tout-petit d'essayer de dessiner l'image et, à chaque session de lecture, vous pouvez terminer en imitant cet exercice et lui demander ce qu'il se rappelle. Cet exercice non seulement est fantastique pour amener de petits enfants à penser visuellement, mais il les aide également à développer des habiletés de construction de la mémoire. Quand vous aurez fait cet exercice plusieurs fois, le jardin deviendra un paysage que vous pourrez explorer et une formidable toile de fond pour créer des histoires.

Ajouter des animaux

Demandez à votre tout-petit de penser aux différentes sortes d'animaux qui pourraient visiter le jardin. Demandez-lui d'essayer de produire le son de chaque animal et de décrire son apparence. Il pourrait même donner un nom à chaque animal et, avec votre aide, créer un personnage.

Ci-contre se trouve une liste de livres illustrés sur le thème « Qu'y a-t-il dans mon jardin? » Utilisez-les pour vous inspirer et compléter cette activité.

LIVRES SUGGÉRÉS

Mamie jardinière
Nathalie Ferraris

Les insectes
Charles Reasoner et Paula Doherty

Contes de la forêt
Mireille Levert

Que visite Galette à la ferme ?
Lina Rousseau et Marie-Claude Favreau

L'araignée qui ne perd pas son temps
Eric Carle

Les sœurs Taupe et l'abeille
Roslyn Schwartz

Un jour autour du monde
David Alazraki

Garçons, filles, mamans, papas

En vieillissant, votre enfant développera un intérêt pour différents types d'histoires. Il y a eu de nombreuses recherches pour déterminer si ce choix relève de la nature ou de l'éducation. Pourquoi les garçons ont-ils tendance à aimer les histoires d'action et d'aventures et les filles à préférer les histoires de magie avec des fins heureuses? Sommes-nous génétiquement programmés pour nous développer ainsi? La réponse est «non». La plupart de nos préférences se forment à un jeune âge et elles sont alimentées par nos parents et nos groupes de pairs. Ainsi, le type d'histoires que vous conterez à votre bébé ne relève que de vous. Le meilleure façon d'éviter les déséquilibres stéréotypés, c'est de lire une sélection générale d'histoires incluant un mélange de différents genres. En vieillissant et en se mêlant à d'autres enfants, votre bébé développera ses goûts et il préférera naturellement différents types d'histoires orientés vers les choix de ses groupes de pairs. Toutefois, si vous lui avez

Jouer le jeu

Quand votre bébé vieillit et commence à comprendre les histoires que vous contez et à être conscient des images, pourquoi ne pas partager l'expérience de lecture? Traitez le livre comme une courte pièce de théâtre dans laquelle chaque parent joue un rôle. Assoyez votre petit entre vous, avec le livre devant, et divisez le dialogue entre les personnages, ou lisez chacun de courtes parties du texte. Mettez de

donné de bonnes bases, il sera toujours capable d'apprécier la lecture en général.

Que dire de maman et papa? L'un des parents est-il plus habile en lecture? Chacun devrait-il conter des histoires différentes? Une fois encore, le type d'histoire n'a pas d'importance tant que vous et votre bébé aimez l'expérience. Il serait idéal que les deux parents se partagent également les activités de lecture parce que cela aidera chacun à se lier au bébé. Aucun parent n'est mieux équipé pour faire la lecture à un bébé et il est essentiel qu'un bébé ait suffisamment accès et passe suffisamment de temps avec chaque parent. Donc, établissez un calendrier de sessions de lecture par rotation ou, si l'un des parents travaille la semaine et trouve difficile de jongler avec le temps, permettez-lui beaucoup de plus petites sessions la fin de semaine.

l'expression dans votre voix et votre enfant plus âgé pourra distinguer les différences entre les personnages. Cela favorisera sa compréhension de ce qui se passe. De plus, cet exercice est très amusant et fantastique pour créer des liens familiaux!

Contes de fées

Les contes de fées sont des histoires classiques présentes depuis des siècles. Les enfants les adorent et trouvent facile de s'identifier aux personnages pittoresques parce qu'ils peuvent aisément les imaginer, ce qui les lie au conte. Les thèmes du bien contre le mal contiennent des messages positifs et aident les tout-petits à comprendre le monde et une part des règles et des codes moraux selon lesquels nous vivons.

Récemment, les contes de fées ont eu mauvaise presse. Certaines écoles de pensée croient qu'ils sont démodés et qu'ils font la promotion de stéréotypes, ce qui est malsain pour nos enfants. Certains parents craignent même que ces contes fassent trop peur à leurs petits et évitent donc complètement de leur en faire la lecture.

Font-ils donc plus de mal que de bien? En vérité, l'humble conte de fées, ou récit merveilleux comme on les appelait autrefois, est une histoire traditionnelle dont le cœur a un sens moral facile à comprendre pour les enfants. Les contes de fées incluent des archétypes comme des rois, des reines, des dragons et des sorcières parce que ces personnages évoquent des images très spécifiques que les tout-petits sont capables de saisir et de visualiser. Non seulement cela, mais les thèmes magiques permettent aux enfants d'utiliser leur imagination et de se perdre vraiment dans l'histoire. Ces contes sont des joyaux culturels et il en existe différentes versions disponibles partout dans le monde. Ils sont la matière de base de l'art du conteur et, souvent, les premiers contes avec lesquels, enfants, nous avons été en contact.

Certains stéréotypes qu'ils contiennent peuvent sembler un petit peu vieux jeu. Par exemple, voulons-nous vraiment encourager les filles à attendre qu'un prince charmant transforme leur vie? Mais le fait est que les contes de fées servent de point de départ pour encourager nos enfants à lire et à créer. Comme parents, nous devons nous servir de notre bon sens quand il s'agit de livres, car certains contes de fées peuvent inclure des éléments angoissants. Réservez donc ces contes aux enfants plus vieux et choisissez quelque chose de léger et de magique pour les bébés. Ne les laissez pas passer à côté de ces histoires enchantées, même si vous pensez que certains thèmes devraient être mis à jour.

Faire participer votre enfant

Alors que votre enfant vieillit, vous pouvez essayer de suggérer différentes fins à l'histoire et lui demander ce qu'il pense des contes. Quelle devrait être la fin selon lui? Laissez votre enfant explorer les personnages. Dans *Le petit chaperon rouge*, grand méchant loup est-il vraiment incompris? Peut-être y a-t-il une raison à la si grande jalousie de la reine dans *Blanche-Neige*? Ces histoires peuvent offrir un excellent tremplin pour discuter, avec des enfants plus vieux, de thèmes qui seraient pertinents pour eux. Et, comme ils ont grandi avec ces contes et se sentent à l'aise avec eux, les enfant sont capables de s'identifier aux personnages et aux thèmes.

APPRENDRE AVEC LES CONTES DE FÉES

PREMIÈRE ÉTAPE : 0 à 6 mois

Commencez avec un simple conte de fées illustré comme *Les trois petits cochons*. Ce conte est idéal pour les tout-petits parce qu'il contient de nombreuses répétitions et, aussi, les personnages des cochons et du loup. Lisez ce conte à votre bébé petit à petit et utilisez une voix douce et expressive quand vous répétez les expressions.

DEUXIÈME ÉTAPE : 7 à 12 mois

Après quelques mois, apprenez à votre bébé à montrer les images et à tenir le livre. Demandez-lui : « Où est le cochon ? [ou] Où est le loup ? »

TROISIÈME ÉTAPE : 1 à 2 ans

Éventuellement, vous pouvez impliquer votre enfant. Encouragez-le à faire le bruit du cochon et du loup et à participer en disant les phrases importantes comme : « Je vais souffler, souffler, souffler si fort que je détruirai ta maison. »

QUATRIÈME ÉTAPE : 2 à 4 ans

Demandez à votre enfant de dessiner les personnages de l'histoire et de vous parler un peu de chacun. Par exemple, où le loup vit-il ? Quel est son nom ? Que peux-tu me dire des cochons ? Pourquoi chaque cochon utilise-t-il un matériau différent pour construire sa maison et qu'est-ce que cela nous apprend sur chacun ? Encouragez votre enfant à s'amuser ce faisant. Si vous avez des sessions de conte en groupe, amenez les enfants à interpréter l'histoire en imitant à tour de rôle les cochons et le loup. Cette simple activité les aidera à s'identifier aux personnages et à commencer à voir les choses sous différents angles.

2

Comment savoir si votre bébé aime l'expérience de la lecture? Semble-t-il impliqué? À certains moments, cela peut être difficile à dire. Approfondir les liens avec votre tout-petit est l'ingrédient magique pour éveiller votre bébé à la lecture. C'est la clé pour améliorer son développement et stimuler son amour du langage. Ce chapitre vous dit ce que vous devez faire et explique comment reconnaître les signes d'engagement chez votre bébé.

Approfondir les liens avec votre bébé

Transmettre de l'information

Il semble très audacieux de suggérer que vous pouvez approfondir les liens avec votre bébé; après tout, vous êtes le parent et vous êtes naturellement lié à votre enfant! Toutefois, ces liens instinctifs peuvent être renforcés, utilisés pour informer et stimuler le développement de votre enfant. La lecture à voix haute est l'occasion idéale pour vous lier à votre bébé d'une manière que la communication usuelle n'offre pas. Par exemple, des recherches démontrent que regarder ensemble des livres d'images implique l'usage de trois fois plus de mots inhabituels que dans la conversation usuelle. Par conséquent, lire à voix haute signifie que vous augmentez l'étendue du vocabulaire de votre enfant et lui offrez l'occasion de prendre conscience de la gamme de sons que produisent les mots. C'est essentiel pour le développement de votre bébé et cela l'engagera déjà dans la voie de l'alphabétisation.

Les bébés acquièrent la conscience phonématique, c'est-à-dire la compréhension des mots et des sons dans le flot de la conversation, pendant les huit à dix premiers mois de leur vie. Cette habileté se développe à une vitesse considérable; ainsi, à l'âge de deux ans, un enfant peut déjà apprendre jusqu'à dix nouveaux mots par jour. C'est beaucoup d'information à absorber pour un

petit enfant, mais vous pouvez l'aider à affûter ces habiletés en approfondissant les liens avec votre bébé dès que possible et en l'habituant à l'agencement des mots.

Tout commence par le flot de paroles utilisé dans la lecture à voix haute. Cela peut ne pas avoir de sens pour votre bébé, mais c'est à partir de ce flot de mots qu'il commencera à reconnaître des sons et des rythmes. La répétition est ici un facteur clé. Plus un bébé entend certains mots en contexte, plus il en vient à saisir leur sens et, éventuellement, à les découvrir sur la page.

Ambiance et environnement

Pour tirer le maximum de vos sessions de lecture à voix haute, il faut commencer par créer l'ambiance idéale. La première chose à faire, et la plus importante, c'est de vous assurer de trouver un endroit tranquille où vous ne serez pas dérangés. Tout bruit extérieur distraira votre bébé et nuira à votre concentration comme à la sienne.

Vous devez également vous assurer que vous êtes tous deux détendus et bien installés. Par conséquent, choisissez une chaise confortable qui supporte votre dos – une chaise qui vous permet d'être dans une posture très droite. Tenez votre bébé tout contre vous et installez-le dans vos bras de manière que vous puissiez voir facilement le livre sans tendre le cou. Si possible, placez le livre dans une position qui permette aussi à votre bébé de voir les illustrations et votre visage. Appuyer votre petit dans le creux de votre bras est idéal. Ainsi, votre bébé s'habitue à la présence d'un livre, tout en étant capable de lire vos expressions du même coup.

La lumière tamisée peut contribuer à créer une ambiance de détente ; par conséquent, si c'est possible, baissez l'éclairage, mais pas trop, au risque de vous blesser les yeux en lisant.

BONS CONSEILS POUR UNE AMBIANCE IDÉALE

Pensez aux couleurs – Les couleurs peuvent servir à stimuler l'esprit et transformer une pièce en sanctuaire idéal d'apprentissage. Les teintes pastel sont préférables pour les bébés. Le blanc et le crème sont apaisants, tandis que le bleu pâle stimule l'apprentissage. Le jaune citron ajoute du piquant et l'on dit qu'il contribue à l'inspiration.

Entourez-vous de peluches et de coussins – Des jouets doux et des marionnettes peuvent être utilisés comme accessoires quand vous lisez ; en outre, des coussins et des tapis peuvent créer des espaces magiques où les tout-petits donneront libre cours à leur imagination.

Faites chauffer des huiles essentielles – Les odeurs stimulent les sens et ont un incroyable effet sur l'esprit et le corps. Choisissez des huiles toniques et relaxantes, comme le romarin et la lavande. Ensemble, ces odeurs travaillent en vous laissant mentalement alerte et calme, et elles auront le même effet sur votre tout-petit.

Répétition et rappel

La clé pour impliquer votre bébé, c'est d'utiliser beaucoup la répétition. Après une période de temps, un bébé commencera à reconnaître des mots qui sont répétés assez souvent. Cela peut vous rendre fou, mais c'est l'un des outils qui donnera à votre enfant un sentiment de maîtrise et de réussite. Par conséquent, plutôt que de traverser tout un livre, procédez pas à pas. Lisez-le une page à la fois et répétez chaque partie lentement. Si votre bébé démontre un intérêt particulier pour une page ou un paragraphe en pointant le doigt, en fixant les images ou en faisant des bruits, reprenez-la de nouveau. Quand votre enfant vieillit, vous pouvez l'encourager à participer en répétant les mots avec vous. Les enfants adorent la sécurité des choses qu'ils connaissent. Voilà pourquoi ils aiment entendre certaines histoires encore et encore. Ils savent ce qui va arriver et ils en viennent à l'anticiper. Ils sont satisfaits de la conclusion de l'histoire et du fait qu'ils savaient déjà ce qui allait arriver. La répétition déclenche le rappel et contribue à stimuler le développement de la mémoire.

BONS CONSEILS POUR PROMOUVOIR L'ENGAGEMENT

Laissez votre bébé jouer – Si votre bébé veut tendre les mains, toucher, voire mâchouiller le livre, laissez-le donc faire. Il vous accorde toujours son attention tout en se familiarisant avec le livre.

Commencez lentement – Lisez une page à la fois et, au cours des semaines, augmentez l'ampleur de ce que vous lisez à votre enfant.

Donnez à votre bébé un jouet mou à tenir ou à mâchouiller tandis que vous lui faites la lecture – Cela l'aidera à rester attentif et à profiter de l'expérience.

Faites des rimes ou risquez-vous à chanter des mots et des phrases – Cela peut vous sembler étrange, mais les bébés adorent les sons chantants et tout ce qui a du rythme.

Répétez des phrases – La répétition est la manière d'apprendre des bébés; donc, n'ayez pas peur de relire des sections ou de redire des mots plusieurs fois.

Utilisez le nom de votre bébé dans l'histoire – Même si, au début, le bébé n'y comprend rien, en grandissant, il reconnaîtra son nom et cela l'aidera à se sentir impliqué dans l'histoire.

Permettez à votre bébé de tourner les pages avec vous – Votre bébé peut sembler plus intéressé par le livre que par ce que vous dites… Il apprend tout de même à connaître les livres et il a du plaisir à passer du temps avec vous.

Signes d'éveil

Alors, comment savez-vous que votre bébé réagit à une histoire? Quels signes devriez-vous guetter? Les bébés ne viennent pas au monde avec un manuel d'instructions et chacun est différent. Il n'y a pas deux bébés qui réagissent de la même manière. Vous devez apprendre à communiquer avec votre tout-petit et à décoder les signaux personnels démontrant qu'il se lie à vous. Cela peut sembler complexe, mais les bébés sont comme les livres: ils deviennent plus faciles à lire avec la pratique. La chose la plus importante à prendre en considération, c'est le degré d'attention que votre bébé vous accorde et qu'il accorde à l'histoire. Dès qu'il perd de l'intérêt, passez à autre chose; s'il pleure, vous savez qu'il en a assez. Ne forcez jamais votre bébé à s'asseoir et à lire. Dans ce domaine, laissez-le prendre la tête et faites équipe avec lui.

Posez des questions – À mesure qu'il vieillit, vous pouvez impliquer votre enfant dans l'histoire en incluant des questions. Rendez l'histoire pertinente en l'introduisant dans le monde de votre enfant. Ainsi, s'il y a un chat dans l'histoire, vous pourriez dire: «Et, regarde, il y a un chat tout comme notre chat.» Soulignez les points communs, puis posez à votre tout-petit des questions comme: «Quel son un chat fait-il?» ou «Quel nom donnerais-tu au chat de l'histoire?»

Utilisez des jeux – Avec les bébés en âge de marcher et les enfants plus vieux, vous pouvez utiliser des jeux d'histoires simples comme «coucou!» ou leur demander de désigner les choses dans la page.

Quoi observer...

LE REGARD – Observez le regard de votre bébé; s'il vous regarde ou regarde le livre, vous avez alors son attention et il est engagé.

LES ROUCOULEMENTS ET LES GAZOUILLIS – Vous découvrirez peut-être que votre bébé produit des sons pendant que vous lisez. C'est bon signe: il essaie de se joindre à vous. Les sons qu'il fait évolueront éventuellement vers les mots. C'est sa façon de montrer qu'il veut faire partie du processus de lecture.

LES GESTES – Les bébé essaient souvent de toucher et touchent les choses qui les intéressent. C'est leur façon de dire: «Hé! Regarde! Ça, c'est amusant!» Par conséquent, soyez attentif à tout mouvement, surtout s'ils sont faits en direction du livre.

LE MANQUE D'ATTENTION – Si le regard de votre bébé vacille pendant des intervalles un peu trop longs ou s'il se désintéresse du livre, cessez la lecture. Il est préférable d'arrêter à ce moment et d'y revenir plus tard. Gardez à l'esprit que votre mission consiste à rendre la lecture amusante et agréable afin que votre bébé associe toujours des sentiments de chaleur et de plaisir à l'expérience.

Histoires qui plaisent

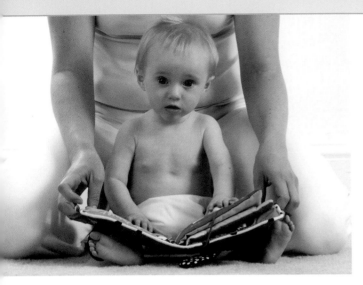

Facilitez l'engagement de votre enfant en choisissant des contes amusants et hauts en couleur qui procureront l'occasion de nombreuses répétitions et de futurs jeux d'histoire. Voici quelques suggestions de types de livres.

Les comptines

Elles sont un excellent choix pour le bébé. Étant courtes, les comptines sont d'une longueur idéale pour le temps d'attention du bébé. Elles ont un flux et un reflux qui plairont aux petites oreilles et elles sont amusantes ; vous aurez

Utiliser des marionnettes

Achetez une marionnette à gaine ou à doigt que vous pourrez utiliser dans vos sessions de lecture. La marionnette vous aidera à conter l'histoire et retiendra l'attention de votre bébé. Indiquez les pages avec la marionnette, en mettant l'accent sur les mots et les images, tout en vous rappelant d'inclure votre bébé en le montrant et en le frappant délicatement avec elle. Utilisez-la comme accessoire pour ajouter de l'intérêt avant et après la lecture. Donnez-lui un nom et un rôle – « Voici Adji, l'assistant d'Émilie en lecture. » Bientôt Émilie comprendra que, dès qu'Adji se manifeste, l'heure est venue de lire et d'avoir du plaisir. Laissez votre bébé jouer avec Adji et incluez ce temps de jeu dans vos sessions de lecture.

LIVRES SUGGÉRÉS

Fais de beaux rêves, mon tout-petit : Les plus belles histoires pour s'endormir
Claire Freedman
Une lecture idéale avant le dodo, avec de merveilleuses illustrations.

Les tout-doux Usborne 1.2.3
Cecilia Johansson
D'adorables animaux pour apprendre à compter, avec des découpes permettant de suivre la progression des chiffres et des matières à toucher.

La ferme
Stella Baggott
Livre en tissu aux belles images pour le berceau ou le lit de bébé.

Mon grand imagier des chiffres
James Diaz et Melanie Gerth
Livre animé, rempli d'images colorées et de textures variées.

Le grand livre des câlins
Guido van Genechten
Un livre à mettre en pratique de toutes les manières et en toutes occasions !

La nuit magique de Noël
Clement Clarke Moore
Une édition spéciale animée en relief donne vie à cette délicieuse histoire rimée.

Qui est le bébé de qui ?
Nathalie Choux
Un livre charmant d'associations avec des volets.

Les motifs
Emily Bolam
Livre à toucher dont les pages en relief font découvrir les motifs.

du plaisir à les répéter. Le recours régulier aux comptines aidera votre bébé à retenir l'information en apprenant des séquences et des motifs.

Les livres en tissu, pour le bain ou cartonnés

À la fois pratiques et excitants, les livres faits de différents matériaux sont fantastiques : les tout-petits s'y arrêtent et les manipulent. Ils sont faciles à nettoyer, mais l'accent est mis sur le toucher et le senti, qui font de la lecture une expérience vivante.

Les simples livres illustrés

Les livres contenant de grandes images ou photos peu compliquées en couleur, avec des phrases simples et répétitives, sont l'idéal pour les bébés. Recherchez des livres pour apprendre à compter ou ceux qui introduisent des ensembles de mots à l'aide de différents thèmes.

Albums photos et albums personnalisés

Il n'est pas nécessaire d'acheter des matériaux spécialement pour votre bébé. Les albums photos sont une bonne source de lecture, car ils sont pleins d'images que votre bébé peut regarder et que vous pouvez décrire. Aussi, pourquoi ne pas essayer de créer des albums personnalisés originaux que vous pourrez utiliser dans vos sessions de lecture ? Vous pouvez y mettre des images et des photos personnelles, des illustrations découpées dans des magazines ou même tenter de dessiner des images qui capteront l'imagination de votre tout-petit. Alors que votre enfant grandira, vous pourrez composer des histoires ensemble en utilisant ces albums personnalisés.

3

Être capable de lire implique une variété
d'habiletés, dont des habiletés de manipulation
et de motricité, tout autant que celles impli-
quées dans la compréhension et la conversation. Dans ce chapitre, vous en apprendrez
plus sur ces habiletés et sur les façons dont
vous pourriez aider votre bébé à les maîtriser.

Habiletés de pré-lecture

Les habiletés essentielles

Les habiletés langagières

C'est assez évident, plus votre bébé sera mis en contact avec la langue parlée, plus il lui sera facile d'apprendre à lire et à se servir du langage. Votre bébé doit entendre quotidiennement sa langue maternelle utilisée dans son contexte. Cela comprend aussi différents types d'élocutions comme la conversation usuelle, le parler d'autres enfants, la lecture à voix haute, le chant, la récitation de poésie et la narration de contes. Si vous offrez à votre enfant l'expérience de différents types de conversations, cela l'incitera à participer.

Il est également bon de laisser votre enfant entendre d'autres adultes faire la lecture, réciter et conter, afin qu'il commence à comprendre différents styles de langage, des termes d'argot et des abréviations. N'essayez pas de mettre votre enfant à l'abri de ces expériences. Permettez-lui d'être exposé au champ complet de la parole aussi souvent que possible.

Pour développer les habiletés langagières de votre enfant, démarrez un groupe de lecture parents-enfants. Rassemblez des parents de bébés approximativement du même âge et convenez de vous rencontrer toutes les deux semaines pour une session de lecture. Mettez vos ressources en commun et que chacun contribue à la pile de lecture avec quelques livres puis, à tour de rôle, lisez différentes histoires. Ainsi, votre bébé entendra quelque chose que vous n'auriez peut-être pas choisi pour lui et il s'habituera aussi à des voix et à des sons différents. Qui plus est, passer du temps avec d'autres enfants d'un niveau similaire aidera votre bébé à interagir et à apprendre à jouer. Ce type d'activité sociale est important pour les petits enfants et les aide à établir des relations quand ils grandissent.

Les rimes

Les bouts de phrases rimés attirent les tout-petits à cause de leur ligne mélodique. Ils « sonnent » bien et sont un plaisir à écouter, ce qui signifie que votre bébé prêtera attention au flot de mots. Des recherches ont démontré que les enfants qui préfèrent et comprennent les rimes trouvent plus facile de comprendre le langage et l'épellation.

Pour aider à promouvoir cette habileté, développez de simples expressions rimées comme, « Coucou, mon petit loup ! » ou « Un, deux, trois, tape avec moi ! » que vous pouvez utiliser en lisant et aussi dans la conversation de tous les jours. Vous pouvez ajouter des actions aux phrases pour les rendre encore plus mémorables et amusantes. Insérez-les dans vos sessions d'histoires en guise d'introduction ou comme jeu quand vous terminez la lecture (par exemple, « Et, cui cui cui, mon histoire est finie, mon petit ami ! »).

Les associations

En grandissant, votre enfant commencera à reconnaître des motifs et des formes et, plus tard, il fera la même chose avec les lettres. Il les associera dans son esprit et sur le papier, et ce type d'association l'aidera à assembler les lettres afin de comprendre les mots.

Pour aider votre enfant à acquérir cette habileté, tracez des gribouillis et des formes simples sur du papier. Prenez le doigt de votre bébé et repassez sur les motifs que vous avez tracés. Faites-en un jeu amusant en introduisant des sons qui conviennent au dessin. Si vous voulez vraiment pousser la chose plus loin, réduisez les lettres à une série de motifs. Ainsi, un W pourrait être deux V arrondis, ou un R pourrait conserver la courbe du haut et une autre forme deviendrait la base de la lettre. Vous pouvez jouer de cette façon avec les lettres, puis les assembler et en tracer les contours avec votre bébé. Éventuellement, votre bébé reconnaîtra les formes et sera capable de les lier pour former des mots qu'il pourra lire et écrire.

Si possible, achetez des lettres en mousse qui pourront être utilisées au cours des sessions de lecture et de jeu. Votre bébé prendra plaisir à les manipuler et à en sentir les textures, et cela contribuera à améliorer ses habiletés d'identification et de motricité. Si vous ne pouvez trouver un ensemble complet, choisissez des lettres qui sont ou seront importantes pour votre enfant : par exemple, l'initiale de son prénom.

La mécanique des livres

Les bébés ont besoin d'apprendre comment regarder un livre dans le bon sens avant de le lire. En d'autres mots, ils doivent apprendre les habiletés de base en lecture, comme lire de gauche à droite, tenir un livre et en tourner les pages. Cela peut nous sembler évident, mais il y a un début à tout et ce peut être difficile, particulièrement pour les enfants gauchers, d'apprendre la manière correcte de lire une page.

Montrez à votre bébé comment tourner les pages et faites-le avec lui. Déplacez sa main de gauche à droite au-dessus de la page ou utilisez vos propres doigts pour souligner le flot de mots et le sens de la lecture.

Stimuler les habiletés de pré-lecture

Il y a une foule de choses que vous pouvez faire comme parents pour aider votre bébé à développer les habiletés nécessaires à l'apprentissage de la lecture. Voici quelques idées.

MESSAGES SUR DES NOTOCOLLANTS

Placez de grandes lettres sur des morceaux de papier coloré partout dans la maison. Essayez d'associer la lettre à l'objet ; ainsi, vous pourriez coller un grand L sur le lit de votre bébé ou un grand R sur le réfrigérateur. Pensez aux choses que votre bébé voit et avec lesquelles il est en contact tous les jours. Chaque fois qu'il voit l'objet, dites-lui la lettre – par exemple, « L pour Lit » – et répétez l'expression en chantonnant. Il s'agit d'un processus graduel mais, éventuellement, vous serez capable d'en tirer un jeu de mots et d'écrire le nom des objets tout autant que la lettre initiale. Vous pouvez même utiliser des rimes que votre tout-petit adorera. Par exemple : « L est pour le lit du bébé, où il va se coucher » ou « L est pour le livre du bébé, rempli de belles idées ».

LES BRUITS D'ANIMAUX

Encouragez votre bébé à émettre des bruits. C'est facile si vous avez un livre d'images qui présente des animaux, parce que vous pouvez imiter le cri des animaux. Ou, si vous préférez, constituez votre propre collection d'images animales en les tirant de magazines et de journaux. Ensuite, jouez en désignant chaque image à votre bébé et en produisant le bruit de l'animal désigné. Avec le temps, vous pourrez ajouter des descriptions de chaque animal et lui poser des questions comme : « Où l'ours vit-il ? » ou « Que penses-tu qu'il mange pour déjeuner ? »

UN SON COMME...

Quand vous faites la lecture, introduisez des phrases contenant des sons apparentés et associez-les à des mots qui « sonnent » de façon similaire. Alors, épelez les mots selon le son qu'ils produisent, comme « b pour balle », puis pensez à autre chose qui commence par un « b »... comme « b pour biscuit ». L'exercice est encore plus intéressant quand vous pouvez y insérer le nom de votre enfant, comme « l pour lunette » et « l pour Lise ! ». Répétez ces expressions chaque fois que l'occasion se présente. Cette activité aidera votre bébé à établir des liens entre les sons et les mots.

EN DIRECT

Cela peut sembler un peu étrange mais, une fois que vous aurez développé l'habitude de le faire, vous verrez votre bébé y réagir. Faites de chaque activité l'occasion d'une histoire, une sorte de reportage en direct. Même quelque chose d'aussi terre à terre que laver la vaisselle ou vous brosser les cheveux peut devenir un sujet dont vous parlerez à votre enfant. Pour rendre cet exercice amusant, vous pouvez le transformer en histoire dont vous êtes le héros. Par exemple : « Un jour, papa décida de participer à une mission. La mission avait lieu dans le territoire très en désordre de la cuisine et sa tâche consistait à nettoyer tous les chaudrons qui s'étaient amoncelés là depuis toujours, semblait-il ! Il roula d'abord ses manches et remplit l'évier d'eau savonneuse magique... »

C'est en écoutant le flot continu de la conversation que votre bébé développe les habiletés phoniques et qu'il s'habitue à des sons qu'il doit entendre aussi souvent que possible. Les bébés sont programmés pour absorber une énorme quantité d'informations mais, comme parents, nous l'oublions souvent et censurons nos échanges avec eux. Vous noterez que, avec le temps, votre tout-petit commencera à participer en gazouillant et en babillant. Cela démontre qu'il développe ses habiletés phoniques et expérimente déjà avec le langage.

Indices de succès

Il y a des signes et des indices qui vous indiqueront que votre bébé développe des habiletés de pré-lecture et que vos sessions et activités de lecture à voix haute fonctionnent. En voici quelques-uns.

Faire semblant

Si votre bébé fait semblant de lire un livre, même sans vraiment comprendre le contenu, c'est un formidable signe. Cela démontre qu'il sait ce qu'est un livre et comment il devrait lire même s'il ne comprend pas les mots pour autant. Encouragez ce comportement en laissant traîner des livres autour de votre bébé afin qu'il joue avec eux.

La reconnaissance

Si votre tout-petit semble reconnaître l'histoire par la couverture du livre, cela prouve qu'il a commencé à faire des liens entre les images et le sujet de l'histoire. Il apprécie l'histoire et votre manière de la lire. N'oubliez jamais d'inclure la couverture du livre dans vos activités de lecture. Avant de commencer, assurez-vous que votre bébé a vu l'image de la couverture et que vous lui avez répété le titre. Parlez-lui du livre avant de le lire. Par exemple : « Sur la couverture, il y a un ours. Je me demande si le personnage de cette histoire est un ours. »

La vocalisation

Quand vous lisez le livre, si votre bébé participe en gazouillant ou en produisant des bruits, vous savez qu'il commence à saisir la communication et apprécie les sons de la lecture à voix haute. Reconnaissez sa conversation et encouragez-le à faire le plus de bruit possible.

L'identification

Parfois, votre bébé peut être capable de faire la différence entre les images et les mots. Il peut désigner les images et tenter de vocaliser ce qui est illustré, ou bien il fixe les couleurs vives. Vous pouvez également noter qu'il participe dès que vous lisez les mots. Ce type de comportement démontre que votre tout-petit commence à distinguer à quoi ressemble le langage sur la page et combien il est différent des images. Parlez toujours des images du livre et indiquez-les. Encouragez votre bébé à les toucher et, pendant qu'il le fait, répétez ce que contiennent les images.

Les liens

Avec le temps, le bébé peut commencer à former des liens entre les images du livre et d'autres objets. Il commencera à comprendre qu'une image correspond à quelque chose de réel et peut-être quelque chose qu'il croise tous les jours. Ce type de compréhension constitue un pas de géant dans le développement du bébé. Il manifeste que l'enfant commence à apprendre ce que sont les choses et comment il peut les utiliser. Pour l'aider, attirez toujours son attention sur ces liens. Faites les liens pour lui quand vous lisez. Par exemple, s'il y a un chat dans le livre, et que vous avez un chat, dites : « Et ce chat est comme notre chat, Minou. » Peut-être que le soleil brille dans une des illustrations, alors, dites : « Et regarde, le soleil brille aussi pour nous. Peux-tu le voir dans le ciel ? » et désignez-le pour que votre bébé établisse le lien. Ce type d'apprentissage ne s'acquiert pas vite mais, si vous répétez le processus chaque fois que vous faites la lecture à votre bébé, vous noterez une différence dans sa compréhension.

L'imitation

Finalement, vous savez que vos tentatives de lecture à voix haute fonctionnent quand vous voyez votre tout-petit faire la lecture à voix haute aux autres. Ce type d'imitation est sa manière de partager l'expérience et de dire : « C'est vraiment fantastique, regarde ça ! » Votre enfant copie ce que vous faites et se sent assez à l'aise pour partager cette merveilleuse découverte avec d'autres. Encouragez votre bébé à jouer et à partager ses livres en vous assurant qu'il interagit fréquemment avec d'autres enfants. Les enfants plus vieux sont des modèles de premier ordre et les bébés essaieront de les imiter ; par conséquent, demandez à ses frères et sœurs plus âgés et à des amis de faire la lecture à votre bébé.

4

Pourquoi un livre est-il si important à l'heure du dodo? Parce que si vous lisez la bonne histoire de la bonne manière, vous expédiez joyeusement votre bébé au pays des rêves et, de ce fait, vous pouvez vous assurer d'une bonne nuit de sommeil! Les sessions de lecture au lit sont des moments cruciaux dans l'horaire quotidien de votre enfant et, si elles sont utilisées correctement, vous et votre tout-petit pouvez en retirer énormément. Poursuivez la lecture pour découvrir les secrets de l'importante lecture à l'heure du dodo.

Lecture avant le dodo

Histoires et environnement

L'heure du dodo est faite pour la lecture. C'est le créneau parfait pour certains liens parent/enfant. Admettons-le, qui peut oublier une bonne histoire lue avant de dormir? C'est le genre d'histoire qui vous accompagne jusqu'à l'âge adulte et que, souvent, vous transmettez à vos propres enfants. L'histoire idéale à l'heure du lit est comme un bon remède; c'est gentil, engageant et ça vous permet de vous sentir mieux à propos d'une foule de choses.

L'histoire parfaite à l'heure du dodo doit receler un fort élément de satisfaction et juste assez d'action et d'aventure pour maintenir l'intérêt de votre enfant. Toutefois, gardez à l'esprit que la ligne est ténue entre l'intérêt et la surexcitation, et que l'histoire à l'heure du lit ne devrait jamais franchir ce seuil. C'est un territoire dangereux pour ceux qui veulent une bonne nuit de sommeil! La clé, c'est de capter l'imagination sans la surexciter. Vous voulez amener paisiblement votre tout-petit vers le sommeil et le laisser avec le sentiment que tout va bien dans le monde. Ça semble un défi, mais c'est facile si vous suivez les recommandations ci-dessous.

L'ambiance

L'ambiance pendant la lecture à l'heure du dodo est aussi importante que le conte. Il est aussi important de planter le décor que ce l'est de choisir le bon livre (voir à la page suivante). Une lumière vive et une chaise confortable peuvent convenir pour un conte de jour mais, le soir, votre but est de favoriser une bonne nuit de sommeil. Votre bébé devrait porter ses vêtements de nuit et être prêt à ce qu'on le borde ou déjà bordé dans son lit. Un éclairage tamisé pour la lecture devrait être tout près. Avec un jeune bébé, vous pourriez préférer le tenir sur vos genoux, mais un enfant plus vieux devrait être au lit. Assoyez-vous près du lit de votre bébé, ou installez-vous dans son lit afin qu'il se sente en sécurité. Le but ici est de rendre votre bébé à l'aise et aussi détendu que possible; par conséquent, prenez votre temps et parlez-lui d'une voix calme.

Conservez toujours une routine identique — même heure et même séquence d'évènements (mettre les vêtements de nuit, se brosser les dents, choisir un livre, etc.) —, afin que votre enfant sache à quoi s'attendre. Si vous commencez à faire cela quand votre enfant est bébé, il anticipera graduellement ces sessions et se sentira plus impliqué en grandissant.

La durée

Cinq à dix minutes d'histoire suffisent à créer un lien avec votre enfant, à l'amener vers le sommeil et à l'habituer à des sessions régulières de lecture. Avec un jeune bébé, restez-en aux histoires courtes. Visez cinq minutes maximum.

En toute simplicité

De nombreux contes classiques ont été écourtés et édités en versions imagées. C'est l'idéal pour l'heure du dodo parce que ces contes contiennent juste assez d'histoire pour garder l'intérêt sans devenir trop compliqués.

Quoi lire

Les histoires que vous choisissez sont tout aussi importantes que la manière de les dire. Elles doivent inclure assez d'action pour créer un véritable intérêt sans surexciter votre enfant. Il est aussi impératif qu'elles aient une fin satisfaisante. Une histoire, c'est comme un colis : quand vous arrivez à la fin, vous devez tout ficeler afin que la personne à qui vous la lisez soit heureuse de la conclusion et puisse passer à autre chose. C'est essentiel pour les tout-petits, qui ont besoin de se réjouir de l'histoire, puis de glisser confortablement dans le sommeil.

Choisissez des histoires courtes, des fables ou des contes classiques abrégés. Si c'est plus long, vous n'arriverez pas à garder l'attention de votre bébé. Il est important aussi de ne pas manquer de temps. La pire chose à faire, c'est de laisser un conte en suspens. Utilisez la règle des cinq (ou dix) minutes. Si vous pensez que le conte excédera cette durée, mettez-le de côté pour une session d'histoire de jour quand votre tout-petit sera plus alerte.

Pratiquez la lecture d'histoires à voix haute pour déterminer si elles conviennent pour l'heure du lit. Prenez votre temps et utilisez une montre pour vous assurer de ne pas dépasser la limite de cinq (ou dix) minutes. Pensez aux mots de l'histoire et aux types d'images qu'ils évoquent. S'agit-il de joyeuses images magiques ou y a-t-il quelque chose dans le récit qui pourrait alarmer votre bébé ? Si vous n'êtes pas certain, gardez le livre pour des

LIVRES SUGGÉRÉS

Bonsoir, lune
Margaret Wise Brown
C'est un excellent choix pour l'heure du lit. C'est l'histoire d'un petit lapin qui dit bonsoir à pratiquement tout pour éviter d'aller dormir. Le texte apaisant et le sujet traité impliquent les petits et les encouragent à s'abandonner au sommeil.

Arc-en-ciel, le plus beau poisson des océans
Marcus Pfister
Un très beau livre contenant des illustrations apaisantes et un merveilleux message ; les bébés seront attirés par les brillantes écailles du poisson qui paraissent encore plus vives la nuit venue.

Avant d'aller au lit
Brigitte Weninger et Yusuke Yonezu
Tout ce que la petite Nora doit accomplir avant d'entrer finalement dans son lit.

Lapin Bisou
Émilie Jadoul
Chaque soir avant d'aller au lit, Lapin Câlin et Maman Lapin se donnent plein de bisous.

Je vais me sauver !
Margaret Wise Brown
Une rassurante histoire pour enfants à propos de l'amour inconditionnel d'une maman envers son enfant.

1, 2, 3… Sommeil !
Guido van Genechten
La nuit, tout le monde dort, même les animaux.

Ajouter du rythme et des rimes

Changer le son et le rythme de votre voix peut modifier instantanément l'atmosphère d'une histoire à l'heure du dodo et, plus important encore, favoriser le sommeil. Il ne s'agit pas seulement de baisser le ton; vous pouvez aussi utiliser des rimes mélodieuses pour faire dériver votre bébé vers le sommeil. Gardez à l'esprit que les bébés et les petits enfants prennent plaisir à écouter des motifs et des sons vocaux bien avant qu'ils puissent comprendre les mots. Un rythme chantant est quasi comme une berceuse: il peut être incroyablement réconfortant pour un jeune bébé. Pourquoi ne pas essayer ces contes rimés pour terminer votre session de lecture à l'heure du dodo?

LIVRES SUGGÉRÉS

Et hop! Dans les nuages…
Julia Donaldson
Une jolie lecture rimée que les bébés apprécieront. Une grande histoire d'amitié avec de belles illustrations et une fin heureuse.

Comptines pour mon nounours
Corinne Albaut
Plus de 25 jolies comptines courtes qui célèbrent le compagnon des enfants.

La chasse à l'ours
Michael Rosen
Des rimes et des répétitions joliment utilisées. Les bébés et les jeunes enfants adoreront cette histoire et vous aurez du plaisir à la lire.

En voir de toutes les couleurs
Michel Boucher
Collection de 28 comptines autour des couleurs et des mots pour les désigner.

sessions de jour. Pensez aussi au langage que vous utiliserez. S'il possède une qualité chantante mélodieuse, alors il est idéal pour l'heure du lit. Si les mots sont courts et produisent des sons pointus et secs, votre bébé aura plus de difficulté à les écouter.

La manière de lire à votre enfant est toujours importante, mais plus encore à l'heure du lit. Avec les tout petits bébés, vous devez lire lentement et calmement. Utilisez votre voix pour apaiser et entraîner votre bébé dans le sommeil. Attardez-vous aux mots qui suscitent des images douces et heureuses et ralentissez vraiment votre débit en atteignant la fin du conte. Avec des enfants légèrement plus vieux, vous pouvez être un peu plus créatif, mais rappelez-vous de toujours conclure votre histoire en ralentissant le débit et en baissant le ton de votre voix. Vous pourriez découvrir que votre enfant sombre dans le sommeil à mi-chemin de l'histoire. Si c'est le cas, laissez simplement les mots se réduire à rien en douceur; puis insérez un signet dans le livre pour la prochaine fois.

Composez votre histoire

Si vous avez de la difficulté à trouver le bon conte pour votre bébé, pourquoi ne pas en composer un? Choisissez un thème qui soit relaxant et avec lequel votre bébé peut s'identifier. Par exemple, aller au lit et rêver est un excellent choix, parce que c'est ce que vous encouragez votre bébé à faire et quelque chose qu'il fait tous les jours. Rendez l'histoire pertinente en y incluant le nom de votre bébé. Ce truc vous aidera à amener votre enfant dans l'histoire et à lui faire sentir qu'il en fait partie. Avec un petit bébé, plus vous utilisez son nom, plus il en reconnaîtra le son et plus vite il l'apprendra.

Ajoutez un peu de magie à l'histoire en introduisant un personnage ou une activité enchantés. Dans le cas d'une histoire qui parle d'aller au lit, vous pourriez introduire un lit magique qui emportera votre bébé dans toutes sortes de lieux merveilleux pendant son sommeil. Pour vous faciliter la tâche, choisissez une destination différente chaque soir. Ainsi, pour votre première tentative, bébé pourrait aller en voyage au pays de Nod et vous pourriez consacrer quelques minutes à décrire l'endroit. Songez à des paysages doux et moelleux pour communiquer un sentiment de bien-être et de sécurité. Enfin, donnez à l'histoire une conclusion heureuse - quelque chose de simple comme bébé s'assoupit au Pays de Nod et, quand il se réveille, c'est le matin, le soleil brille et maman est là pour le serrer fort dans ses bras, etc. À la page suivante, vous trouverez d'autres suggestions d'histoires.

Pour ajouter une dimension supplémentaire à votre session de contes, incluez un jouet en peluche ou une marionnette, ou trouvez des images pour illustrer votre histoire. Vous pourriez même créer une boîte souvenir spéciale pour vos histoires à l'heure du dodo. Vous pourrez y ajouter des choses au long des mois et des années et, en grandissant, votre enfant pourra lui aussi mettre dans la boîte des choses qu'il aimerait inclure dans les histoires.

Vous pouvez aussi consulter Internet. Il y a nombre de sites magnifiques présentant des histoires courtes et des comptines qui peuvent servir de lectures à l'heure du dodo. Par exemple, les sites français http://tontongeorges.free.fr/ et http://pyjamagik.blogspot.com/ offrent des idées de lecture et, en plus, on peut aisément y télécharger pour l'heure du lit une histoire susceptible de combler vos besoins.

Des idées magiques

BÉBÉ AU PAYS DES FÉES

Bébé va où vivent les fées et les lutins. Il joue avec eux jusqu'à l'heure d'aller au lit. La fée du dodo apparaît et lui jette un sort en parsemant ses yeux de poudre de sommeil dorée. Ses paupières deviennent si lourdes que, finalement, il ne peut plus garder les yeux ouverts. Il se sent agréablement au chaud et dérive vers le pays des rêves. Quand il se réveille, il est bien bordé dans son lit de bébé douillet à la maison.

BÉBÉ DANSE SUR LES NUAGES

Le lit de Bébé s'élève de plus en plus haut, jusqu'à ce que Bébé puisse tendre la main et toucher les étoiles. Celles-ci sont comme des diamants qui dansent dans le ciel. Comme Bébé se rapproche, il peut les entendre chanter une magnifique berceuse ; il se sent détendu et heureux. Bébé ne peut attendre pour explorer et il saute dans un nuage. Le nuage est doux et moelleux et il emporte Bébé voguer dans le ciel. Comme un tapis magique, il le ramène en sécurité à la maison.

BÉBÉ VISITE LE PAYS DU CHOCOLAT

Le lit de Bébé vole à travers un portail magique qui l'amène dans le Monde du chocolat et des bonbons. Tout est fait de chocolat et de sucreries. Il y a des rivières et des arbres de chocolat et un mouton en barbe à papa avec une abondance de laine moelleuse. Les fleurs et les gens sont faits de gelées aux fruits et il y a des maisons de chocolat ! Bébé a beaucoup de plaisir à explorer et à décider quel est son morceau préféré dans ce pays du chocolat. Il décide de lire un livre en chocolat et finit par en grignoter un bout. Le chocolat a si bon goût qu'il a bientôt le ventre plein et s'endort, seulement pour se rendre compte qu'il est de retour de ses aventures, en sécurité à la maison.

BÉBÉ NAGE AVEC LES SIRÈNES

Le lit de Bébé l'amène en voyage à la mer. Il se transforme en bateau magique, dont le fond est en verre, qui flotte et danse sur les vagues (*saisissez l'occasion pour décrire différentes créatures marines, les couleurs et l'environnement*). Un groupe de sirènes se joint à Bébé ; elles le conduisent au pays des Ondins au fond de la mer où il joue avec des sirènenfants et chevauche un hippocampe.

BÉBÉ VOYAGE DANS L'ESPACE

Le lit de Bébé se transforme en fusée avec Bébé tout enveloppé en sécurité à l'intérieur!
Bébé fonce à travers le ciel à la vitesse de la lumière, jusqu'à ce qu'il soit dans l'espace. Il
peut regarder dehors et voir la Terre et toutes les autres planètes. Le lit-fusée emporte Bébé sur
la planète Mars, où tout est rouge. Il rencontre un extra-terrestre amical qui possède trois têtes
et une longue trompe en guise de nez (*vous pouvez avoir beaucoup de plaisir ici et, avec un enfant
légèrement plus vieux, vous pouvez lui demander de décrire l'extra-terrestre et de lui donner un nom*).
Bébé et l'extra-terrestre promettent de rester en contact et l'extra-terrestre dit que, un jour, il
visitera la Terre.

BÉBÉ VISITE LE PAYS DES JOUETS

Bébé fait un souhait magique et visite le Pays des jouets, où il rencontre un ours (*tout comme son
propre ourson à la maison*) qui parle. L'ours lui montre où il vit dans la forêt, puis ils jouent à cache-
cache et à coucou! Bébé joue avec les poupées dans la maison de poupée et il construit son propre
autobus de lettres qui le ramène à la maison.

BÉBÉ VA AU GROENLAND ET RENCONTRE LES LUTINS

(*Le meilleur moment pour conter cette histoire est à l'approche de Noël. Cela aidera votre tout-petit à
comprendre l'esprit des Fêtes et certains personnages et histoires bien connus.*)
   Le lit de Bébé se transforme en traîneau décoré de rubans et de cloches. Il file à travers le ciel
directement vers le Groenland où il neige. Bébé joue dans la neige avec les Lutins et il les observe
dans leur atelier où ils fabriquent des jouets pour le Père Noël. Bébé prend le thé avec le Père et
la Mère Noël, qui lui donnent une boîte magique comme cadeau spécial de Noël (*avec les bébés,
assurez-vous que la boîte contient des choses simples: par exemple, elle sera pleine d'amour; avec un
enfant plus vieux, vous pouvez profiter de l'occasion pour l'impliquer dans l'histoire en lui demandant:
«Qu'y a-t-il dans la boîte?»*).

BÉBÉ S'ENVOLE AVEC LA FÉE DES DENTS

Bébé entend quelque chose frapper à sa fenêtre. Il aperçoit une petite chose étincelante. En y
regardant de plus près, il reconnaît la fée des dents. «Es-tu ici pour une de mes dents?» demande
Bébé. La fée des dents secoue la tête et dit qu'elle veut que Bébé aille à l'aventure avec elle.
Ensemble, ils filent au-dessus de toutes les maisons, jusqu'à ce qu'ils atteignent la maison d'un autre
enfant. La fée des dents vole par la fenêtre ouverte, cueille une dent sous l'oreiller de la petite fille
et laisse une pièce de monnaie magique en échange. Donnant une pièce magique à Bébé, la fée des
dents lui dit que cela l'aidera à faire des rêves magiques.

5

Les histoires sont faites pour donner du plaisir et être partagées. Conter des histoires, c'est, en soi, les transmettre en sachant que, avec le temps, elles se développeront pour devenir quelque chose de neuf. Chaque fois que l'on conte une histoire, on ajoute quelque chose au mélange : une qualité unique qui lui donne une saveur différente. Voilà pourquoi conter une histoire réussit si bien avec un groupe. C'est une activité souple, interactive et, plus important encore, très amusante ! Rassemblez un groupe de petits enfants et observez la pièce s'illuminer tandis que vous contez une histoire. Voyez leurs expressions changer alors qu'ils s'embarquent avec vous et observez-les quand ils communiquent les uns avec les autres et que, ensemble, ils prennent plaisir à l'expérience.

Conter des histoires
en groupe

Planter le décor

Conter une histoire à des groupes nombreux peut sembler un défi mais, si vous plantez le décor et choisissez le bon conte, vous serez renversé par la réaction. Les anniversaires sont des occasions en or – particulièrement pour tranquilliser des invités surexcités –, mais vous pourriez tenter d'instaurer des sessions de lecture régulières dans un environnement amusant. Par exemple, vous pourriez suggérer à votre groupe de maman-et-bébé de courtes sessions de lecture au cours desquelles vous liriez une histoire à tour de rôle. En ces occasions, chaque maman pourrait participer et essayer de lire à voix haute dans un climat détendu et stimulant.

Tel que nous l'avons suggéré dans le Chapitre 3, il est important pour votre bébé de faire l'expérience de la communication sur tous les plans – y inclus les conversations entre des adultes et d'autres enfants. En outre, il est bon que votre tout-petit entende d'autres personnes lire à voix haute et s'habitue à différents types de parlers. L'art du conte en groupe est l'occasion idéale pour que votre bébé développe des habiletés de pré-lecture et, aussi, qu'il apprenne à socialiser.

BONS CONSEILS POUR RÉUSSIR UN CONTE EN GROUPE

Créez un espace – Réservez un espace pour vos sessions de conte – une pièce ou un espace plus petit. Une natte ou un tapis coloré que vous pouvez dérouler créera une ambiance spéciale et assez différente pour qu'elle commande l'attention.

Rassemblez les enfants autour de vous – Asseoir les enfants en demi-cercle devant vous signifie que vous pouvez tous les voir et qu'ils vous voient bien pendant que vous contez votre histoire.

Introduisez un signal de « silence » – Quelque chose qui soit simple, comme un claquement de mains ou un son de cloche, signifiant que c'est l'heure du conte. Les enfants sauront que, lorsqu'ils entendent ce son, ils doivent se taire et se préparer à écouter.

Pratiquez la règle du cinq-minutes – Même le conteur le plus expérimenté peut trouver difficile de garder l'attention de bébés et de très petits enfants pendant un certain temps. Fixez une durée de cinq minutes à votre conte. Cela peut sembler peu, mais c'est le laps de temps parfait pour se lier avec le groupe et garder l'intérêt des enfants. Pour maintenir celui-ci, utilisez des histoires courtes et accrocheuses.

Choisissez votre histoire avec soin – Si votre groupe comprend surtout des bébés, les contes

Quel âge?

Commencez avec des bébés aussi jeunes que vous le voulez. Œuvrer avec un groupe de bébés peut sembler un défi, mais vous n'êtes pas seul et sans filet. Demandez aux autres parents de participer et faites-en un exercice qui développe les liens entre le parent et l'enfant, tout autant qu'une activité de groupe. Cela habituera également votre bébé à socialiser.

Les enfants plus vieux, et en particulier ceux qui ont deux et trois ans, apprécieront les bénéfices d'une histoire contée en groupe. À cet âge, les enfants deviennent plus conscients de leur environnement. Ils s'amusent à explorer et à faire l'expérience du monde. Alors que leurs perceptions s'accroissent, tout devient une aventure, et une narration en groupe leur permet de participer, d'apprendre et de se lier aux autres. Aussi, il sera intéressant pour vous de voir comment réagit et socialise votre enfant. En prenant du recul et avec un regard objectif, vous verrez combien votre enfant a appris et combien il progresse.

La taille du groupe?

Cela n'a pas d'importance: que vous vous occupiez de deux ou de dix enfants, la même règle s'applique. Si vous, vous avez du plaisir, ils auront du plaisir. Vous trouverez ci-dessous des suggestions pour que la session soit un vrai succès.

d'animaux et les comptines fonctionnent bien, car les enfants peuvent participer avec les sons. Pour des groupes un peu plus vieux, choisissez des histoires avec beaucoup d'action et l'occasion d'utiliser des expressions faciales. Choisissez des contes qui contiennent des répétitions et beaucoup de bruits.

Essayez de maintenir le contact visuel – Vous pouvez être debout et vous déplacer en contant votre histoire, mais il peut s'avérer difficile de vous lier à de très petits enfants si vous les dominez. Vous devriez être à leur niveau. Si vous vous assoyez sur le plancher, la session sera plus intime. Vous pourrez vous lier efficacement avec votre auditoire tout en étant capable d'utiliser l'espace.

Utilisez des accessoires si l'histoire le permet – Les accessoires peuvent aider à illustrer ce qui arrive dans le conte. Les peluches et les marionnettes fonctionnent bien, car les enfants peuvent les toucher et jouer avec elles. Selon l'âge des enfants, vous pourriez aussi les impliquer en leur faisant créer des accessoires pour le conte.

La répétition est la clé – Si vous sentez que vous perdez l'attention du groupe, introduisez un bruit, un mot ou un geste que les enfants reprendront. Le secret pour garder l'intérêt consiste à leur donner suffisamment pour les prendre au jeu. Travaillez à tous les points de vue en utilisant le son, le mouvement et l'expression.

Contes classiques

DANS LA FERME À MATHURIN (0 À 2 ANS)

Une des meilleures comptines pour les très petits bébés. Vous pouvez les encourager à participer et à faire les sons et les actions des animaux. Facile à mémoriser, cette comptine les aidera à distinguer les types d'animaux. Traversez la comptine au complet une fois afin qu'ils se familiarisent avec sa structure, puis répétez-la deux ou trois fois. Cela peut vous sembler ennuyeux, mais la répétition est la clé pour inspirer confiance aux bébés.

BÊÊ BÊÊ MOUTON NOIR (0 À 2 ANS)

C'est une fantastique comptine à chanter et les bébés réagissent à la mélodie. Comme pour toutes les comptines, la répétition est la clé. Quand vous pensez que vous l'avez trop répétée, répétez-la une fois de plus ! Vous serez étonné de constater combien votre bébé aimera l'expérience et vous verrez son degré de confiance changer chaque fois que vous la reprendrez. Vous pouvez aussi utiliser des marionnettes et des gestes avec cette comptine.

AINSI FONT, FONT, FONT (0 À 2 ANS)

Cette petite comptine offre l'occasion de nombreux gestes – les marionnettes posent les mains sur les hanches, se retournent, sautent, etc. Elle est assez courte pour que les bébés y prennent plaisir et soient captivés. L'usage d'une marionnette est tout indiqué.

LE PETIT CHAPERON ROUGE (0 À 4 ANS)

Une autre histoire de gros méchant loup qui permet aux tout-petits de faire du bruit. Répétez les expressions « Grand-mère, comme tu as de grand(es) oreilles/yeux/dents ! ». Quand vous parlez pour le personnage, tentez de changer votre voix afin que ce soit perceptible. Rendez la comptine drôle en donnant une voix haut perchée à la grand-mère et une voix grave au loup.

LES TROIS PETITS COCHONS (0 À 4 ANS)

Parfait pour les narrations en groupe, ce conte offre la bonne quantité de répétitions et une structure simple à laquelle les bébés peuvent accrocher. Mettez de l'emphase sur des phrases comme : « Je vais souffler, souffler si fort que je ferai tomber ta maison ! » Vous pouvez même demander au groupe de participer et de rugir chaque fois que le loup apparaît. Les petits bébés peuvent ne pas comprendre le son, mais ils participeront en bougeant, gazouillant et tapant des mains.

BOUCLE D'OR ET LES TROIS OURS (0 À 4 ANS)

Ce conte utilise la règle des trois temps. Autrement dit, Boucle d'Or tente trois fois de s'asseoir sur une chaise et de déjeuner, et par trois fois les ours demandent : « Qui s'est assis sur ma chaise/a dormi dans mon lit/a mangé mon gruau ? » Ce type de répétition rythmique est ce qui la rend si populaire auprès des tout-petits. Vous pouvez encourager les enfants à participer et même à interpréter ce conte en divisant le groupe en trois sections : celle de papa ours, celle de maman ours et celle de bébé ours.

JACQUES ET LE HARICOT MAGIQUE (2 À 4 ANS)

Avant de commencer cette histoire, demandez aux enfants d'imaginer un géant. Décrivez ce que peut être son apparence et le bruit qu'il fait. Répétez la phrase : « Fee fi fo fum, je renifle le sang d'un Anglais ! » et encouragez le groupe à participer en faisant du bruit chaque fois que le géant apparaît. Intégrez des gestes dans l'histoire : par exemple, quand Jacques grimpe dans le haricot, montrez comment il peut s'y prendre.

Garder l'intérêt du groupe

Quand on conte une histoire à un groupe, la clé, c'est la participation et l'attention de chacun. Si l'intérêt d'un enfant faiblit, son attitude en influencera d'autres. Vous trouverez ci-dessous des conseils qui vous aideront à garder les enfants captivés.

Les mots clés

Avant de commencer l'histoire, expliquez qu'elle contient un mot magique et que, chaque fois que vous le direz, vous voulez que le groupe le crie après vous trois fois. Vous vous amuserez beaucoup à ce jeu en choisissant un « mot magique » ridicule que les enfants auront du plaisir à crier. Par exemple, il y a un magnifique conte pour enfants appelé *La crotte de nez du roi* (voir à la page 66). Aussi dégoûtant qu'il paraisse, les enfant l'adorent et, comme tout bon conte traditionnel, il contient une morale à propos de l'effort à faire et de l'énergie à mettre pour arriver à réaliser des choses, même si vous n'êtes pas très habile. Ainsi, en dépit de son titre déroutant, c'est un excellent choix pour un groupe. Utiliser « crotte de nez » comme mot magique dans cette histoire lui ajoute une nouvelle dimension. Cela rend l'histoire amusante et donne aussi au groupe

quelque chose à anticiper. Les enfants écouteront attentivement pour entendre le mot magique afin de pouvoir vous le répéter. En retour, cela les oblige à prêter attention à ce que vous dites et rend l'expérience amusante.

Vous pouvez également utiliser des phrases complètes et faire une sorte de signal ou de geste que le groupe doit surveiller. Par exemple, une autre histoire populaire pour enfants, *Le parapluie magique* (voir à la page 68), implique de trouver ce que contient une boîte spéciale, brillante et dorée. Vous pourriez ainsi utiliser la phrase « Qu'y a-t-il dans la boîte ? » et pointer les doigts ou taper des mains chaque fois que vous voulez que le groupe répète cette phrase.

Les gestes

Essayez de choisir des histoires qui, d'elles-mêmes, entraînent des gestes. Plus vous mettrez d'action et de mouvement dans une histoire pour illustrer ce qui arrive, plus le groupe réagira et s'impliquera. Trouvez des gestes simples comme taper des mains ou sauter sur place. Si vous œuvrez avec des bébés, les balancements de droite à gauche sont fantastiques, car les parents peuvent s'impliquer avec leurs enfants et les prendre.

LIVRES SUGGÉRÉS

Les vingt contes les plus drôles au monde
Judy Sierra
C'est une sélection d'histoires simples, de comptines et de personnages qui se prêtent bien à l'usage de marionnettes.

Le grand livre des activités, danses, histoires, jeux et recettes pour les 2 à 7 ans
Jackie Silberg
Un splendide choix de comptines à utiliser avec des tout-petits, et beaucoup d'idées qui vous inspireront.

Contes en comptines
Maryvonne Letourneur
Des contes classiques (*Le petit chaperon rouge, La Belle au bois dormant, etc.*) condensés en de jolies comptines qui tiennent en une page : des textes rimés parfaits pour la récitation en groupe.

101 comptines à mimer et à jouer
Corinne Albaut
Jeux de doigts, berceuses, rondes ou mini-pièces de théâtre à savourer avec les tout-petits.

100 comptines rigolotes à plumes et à poils
Collectif
Des mots et des images pour rire avec les animaux les plus farfelus et les plus connus.

Trouvez votre niveau

Cela peut sembler évident mais, pour communiquer avec de très petits enfants, vous devez descendre à leur niveau. Il est inutile de les dominer et de s'adresser au sommet de leur tête. Vous devez les attirer dans le conte par le contact visuel et en restant là où ils peuvent vous voir. Cela ne veut pas dire que vous ne pouvez utiliser l'espace et vous déplacer, mais n'ayez pas peur de vous asseoir et de ramper sur le plancher. S'agenouiller fonctionne bien parce que cela permet de s'étirer et de se déplacer, tout en demeurant au niveau des yeux du groupe. Rappelez-vous que le contact visuel est essentiel. Si vous lisez un livre, soyez conscient que, parfois, vous devez le mettre de côté ou le déposer sur vos genoux pour éviter qu'il ne devienne une barrière à la communication.

Soyez souple

Quand vous œuvrez auprès d'un groupe de bébés ou de très jeunes enfants, vous devez faire preuve de souplesse. Laissez l'histoire respirer et les tout-petits interagir à leur manière. Ils feront des bruits, gazouilleront et babilleront ; ce sont tous des signes qu'ils apprécient l'expérience et veulent participer. Ne laissez pas cela vous distraire mais, par ailleurs, laissez-les diriger dans les parties du conte qu'ils apprécient. S'ils semblent avoir du plaisir quand vous lisez une section particulière, répétez-la. Vous n'avez pas à vous en tenir à la structure rigide de l'histoire seulement parce que le livre a été conçu ainsi. Réagissez toujours à votre auditoire. Si les enfants semblent distraits et peu disposés envers l'histoire que vous avez choisie, ne vous en faites pas et passez à une autre histoire. S'ils semblent intéressés et veulent poser des questions, laissez-les faire. Avec le temps, vous choisirez intuitivement les histoires qui fonctionnent. Vous en viendrez à si bien les connaître que vous saurez vous déplacer dans l'histoire et sauter d'une section à une autre pour rendre l'expérience plus excitante !

Retrouvez votre enfant intérieur

Observez un enfant conter une histoire et vous aurez l'évènement dans toute sa splendeur en technicolor. L'histoire devient si importante qu'il l'investit avec tout ce qu'il possède. Bras et jambes volent en tous sens tandis qu'il caracole pour expliquer ce qui est arrivé. Il revit l'histoire en la racontant et ce lien suscite énergie et enthousiasme.

Comme adultes, nous avons volontairement oublié cette habileté. Comme nous devons être sensible et pratique sur une base quotidienne, il est par conséquent difficile de nous souvenir de ce que c'est que d'avoir ce sens du merveilleux à propos de tout. Cependant, si vous vous impliquez dans la narration de contes en groupe, vous devez vous rappeler ces sentiments et retrouver votre enfant intérieur. Que vous lisiez ou que vous «jouiez» une histoire, pensez-y dans la perspective d'un très jeune enfant. Exagérez vos mimiques et vos mouvements, et pénétrez-vous de l'esprit du conte. Exercez-vous à lire devant un miroir. Essayez de vous assurer d'être capable de garder le contact visuel la plupart du temps. Cherchez des occasions d'utiliser votre expression et amplifiez chaque mouvement. Rappelez-vous que les enfants, spécialement les tout jeunes, ne comprennent pas la subtilité. Ils ne peuvent pas saisir les nuances fines ou les changements faciaux; par conséquent, vous devez mettre de l'emphase ou exagérer les choses afin de leur rendre la tâche plus facile. Imaginez que vous êtes un clown et que vous devez tous les faire rire. Conter une histoire à un groupe vous donne le droit d'être ridicule!

Trouver des histoires qui conviennent

De quelque âge que soient les enfants du groupe dont vous vous occupez, vous avez besoin d'une histoire qui puisse les rejoindre tous. Plus ils sont jeunes, plus il faut de répétitions pour garder leur intérêt et leur donner l'occasion de participer. Rappelez-vous toujours la règle des cinq minutes et, si nécessaire, lisez les histoires à voix haute avant de les utiliser pour vous assurer qu'elles ne sont pas trop longues et qu'elles ont le ton et la tournure justes pour le groupe. Si vous trouvez une histoire amusante à lire, alors les enfants la trouveront amusante à écouter.

La narration d'histoires en groupe peut s'avérer une fantastique occasion de connaître d'autres cultures. Partager des histoires originaires ou à propos de gens de partout dans le monde peut donner à votre bébé une compréhension d'autres sociétés et des rapports entre les membres de ces sociétés. Il existe une grande tradition de l'art de conter dans d'autres cultures, qui devrait être explorée et mise en valeur. Il n'est jamais trop tôt pour ce faire.

Ressources en ligne

Rendez-vous aux sites suivants pour plus d'informations sur les contes et la narration d'histoires en groupe.

www.mamalisa.com
Mama Lisa's World
Site trilingue (anglais, français, espagnol) consacré à la culture enfantine et internationale, qui offre un très grand nombre de comptines d'origines diverses.

http://jeunesse.lille3.free.fr/
Lille III Jeunesse
Site animé par des enseignants et des étudiants de divers départements de l'université de Lille 3 Charles-de-Gaulle et consacré à la littérature et à l'édition jeunesse. La littérature pour les tout-petits y voisine celle pour les enfants plus vieux et les adolescents.

www.lirecreer.org/biblio/contes/
Lire et récréer
Site de Catherine Bastère-Rainotti (France) qui présente des contes et des légendes de divers pays, et des comptines, de même que des histoires de Noël, de Pâques et de l'Halloween.

www.lepointdufle.net/contes_et_histoires.htm
Le Point du FLE
Site francophone (Belgique, France, Ontario, Québec, Suisse, etc.) qui présente un catalogue très riche de sites de contes populaires et traditionnels, de légendes et de récits mythologiques du monde entier, et d'histoires à écouter en ligne ou à lire à voix haute.

Mener un groupe de lecture

PLANIFIEZ DES SESSIONS RÉGULIÈRES

Commencez en formant un groupe de parents-et-bébé qui se réunit sur une base régulière pour parler, jouer et partager des histoires.

RENCONTREZ-VOUS FRÉQUEMMENT

Essayez de vous réunir une fois par semaine ou une fois toutes les deux semaines pour garder l'élan. Cela vous aidera, vous et votre bébé, à établir des relations avec les autres membres du groupe. Cela signifie aussi que votre bébé entendra différents types de langages et d'histoires sur une base régulière.

INCLUEZ DES GENS DE TOUS LES MILIEUX

La variété de milieux donnera de la couleur et de l'émotion à vos sessions. Même une langue différente ne doit pas être une barrière à la communication. Les parents dont la langue maternelle n'est pas le français ont aussi de magnifiques histoires à partager et leur apport est inestimable. En vous connaissant mieux les uns les autres, vous en viendrez à abattre toutes les barrières à la communication.

PARTAGEZ DES HISTOIRES À TOUR DE RÔLE

Chaque parent pourrait commencer en contant ou lisant son histoire préférée – peut-être une qu'il/elle se rappelle de son enfance. Ensuite, chaque parent pourrait trouver une histoire de famille – quelque chose qui pourrait lui avoir été conté enfant ou quelque chose dont il/elle aurait fait l'expérience et qui peut être partagé avec le groupe. Ce pourrait être un évènement rapporté par ses parents ou grands-parents ou simplement un mythe ou un conte folklorique bien connu dans sa culture et que la personne a toujours aimé.

DONNEZ VOS IMPRESSIONS SUR LE CONTE PARTAGÉ

Si vous avez aimé une histoire, assurez-vous de le dire et, peut-être, de dire pourquoi. Entre parents, il est bon de parler et de se soutenir les uns les autres. Encouragez chacun à essayer.

ÉCHANGEZ PARENTS ET ENFANTS

Une fois votre groupe établi et que tous se sentent à l'aise les uns avec les autres, vous pouvez organiser des sessions d'histoires face à face avec les bébés du groupe. Assoyez-vous en cercle et passez-vous les bébés afin que chaque parent ait la chance de conter une histoire à un enfant différent. C'est bon pour votre bébé parce que, une fois encore, il doit écouter une voix différente et un type de parler différent.

CRÉEZ DES SESSIONS À THÈMES

Vous pouvez lier les sessions à un mois ou à une période spécifique de l'année, ou dresser une liste de thèmes variés et demander à chaque parent d'apporter un livre de contes ou de se présenter avec une comptine reliés à ce thème. Les suggestions comprennent: les fêtes, les pays magiques, les animaux, les fées, la mer, la jungle, l'espace, etc. Des parents peuvent composer leurs propres histoires ou chercher des contes correspondant au thème. Utilisez Internet pour découvrir du nouveau matériel, en particulier des histoires d'autres cultures. Faites simplement une recherche par mot et voyez où cela vous mène. C'est un moyen formidable pour découvrir de nouveaux livres illustrés à utiliser avec votre propre enfant.

PASSEZ EN REVUE LES CONTES ET LES HISTOIRES PARTAGÉS

Tenez une session de revue de livres avec votre groupe afin que les parents puissent suggérer des livres illustrés lus à leur enfant et aimés par lui. Rien ne vaut une recommandation personnelle quand vient le temps de trouver de bons livres à lire! Testez les histoires sur votre enfant avant de les partager avec le reste du groupe. Assurez-vous aussi de demander l'opinion de votre enfant. Les enfants savent ce qu'ils aiment et ce qui plaira aux autres enfants. Si les tout-petits sont assez vieux pour exprimer leurs points de vue et leurs idées, demandez-leurs impressions. Même si ce sont des bébés, vous serez capable de dire à quels contes ils accrochent avec plaisir.

Contes-jeux

Vous pouvez utiliser des contes-jeux pour tous les âges : des activités simples de type « Coucou ! » avec des groupes de bébés ou quelque chose de plus avancé pour les bébés plus vieux et les enfants jusqu'à cinq ans. Les jeux améliorent l'expérience de lecture et aident le développement des habiletés d'alphabétisation et de communication. Voici quelques idées que vous pourriez mettre à l'essai.

Jeux pour bébés (0 à 2 ans)

MON NOM EST...

Assoyez-vous en cercle et prétendez que vous jouez à attraper un ballon invisible. Chaque bébé (avec l'aide de papa ou de maman) lance le ballon à quelqu'un d'autre ; ce faisant, il dit « Mon nom est... » et il accompagne ce qu'il dit d'un petit geste. Cela pourrait être battre des mains ou taper du pied sur le plancher. Des enfants un peu plus vieux pourraient penser à des actions reliées à quelque chose qu'ils aiment faire, comme dessiner, manger, danser, donner un coup de pied dans un ballon de soccer, etc.

QUI EST DANS LE LIT ?

Voici une fantastique histoire-jeu pour les bébés. Commencez avec ce texte tout simple : « Voici l'histoire de Grand-maman et de Jacques. » Grand-maman vivait sur une ferme. Chaque nuit, Grand-maman laissait un nouvel animal dormir dans le lit de Jacques. Devinez quel animal dort dans le lit de Jacques ce soir !
Commencez par un chaton et dites : « Et le chaton fit Miou, miou, miou toute la nuit ! La nuit suivante, un autre animal était dans le lit de Jacques. Qui dort dans le lit de Jacques maintenant ? » Traversez la liste d'animaux ci-dessous et ajoutez le cri de chaque animal. Assurez-vous de répéter celui qui précède jusqu'à ce que vous ayez traversé toute la liste.

Chaton – Le chaton fait « Miou, miou, miou » toute la nuit !
Chien – Le chien fait « Wouf, wouf, wouf » toute la nuit !
Poule – La poule fait « Cot, cot, cot » toute la nuit !
Mouton – Le mouton fait « Bêê, bêê, bêê » toute la nuit !
Cochon – Le cochon fait « Groin, groin, groin » toute la nuit !
Vache – La vache fait « Meu, meu, meu » toute la nuit !
Cheval – Le cheval fait « Niêê, niêê, niêê » toute la nuit !

Terminez en disant : « Et le pauvre Jacques n'a pas dormi de la nuit, et toute la nuit il fait : Aaaaw, aaaaw, aaaaw ! » Encouragez les tout-petits à se joindre à vous jusqu'à ce qu'ils aient épuisé toute la liste des animaux qui dorment dans le lit de Jacques. C'est très amusant et les enfant adoreront essayer d'imiter le bruit de l'animal.

ROCK ET RIMES

Les bébés aiment les rimes, et ce jeu simple les aidera à adopter un rythme et à suivre le flot des mots. Apprenez d'abord les rimes qui suivent :

Bébé tape, un, deux, trois,
Et nous salue, toi et moi
Il se balance par-ci, par-là
Puis il se cache, il n'est plus là !

Chaque phrase est accompagnée d'une action. À la première phrase, le bébé doit taper des mains ; à la seconde, il salue avec les mains ; à la troisième, il se balance de gauche à droite ; puis, à la dernière phrase, il se cache les yeux derrière les mains.
   Prenez chaque phrase et répétez-la trois fois avant de passer à la suivante. Une fois que vous aurez fait cela en groupe, placez-vous en cercle et, à tour de rôle, chaque bébé et parent récite la comptine.

CERCLE D'HISTOIRES DE BÉBÉS

Tout comme un cercle habituel d'histoires, vous allez créer une histoire qui inclut les bébés de votre groupe. Assoyez les bébés (et les parents) en cercle et commencez en disant : « Un jour, quatre (cinq, six… autant qu'il y a de bébés dans votre groupe) petits bébés firent un cercle magique d'histoires. » Il y avait Jacques. « Bonjour, Jacques ! » Demandez à Jacques de saluer. « Puis il y avait Marie. » « Bonjour, Marie ! » Et demandez à Marie de saluer. Faites ainsi le tour du groupe jusqu'à ce que tous les bébés se soient présentés en saluant. Puis refaites le tour du cercle et dites : « Jacques était très heureux et il riait. » Encouragez Jacques à rire ou à faire du bruit. Faites de même avec chaque bébé. S'ils aiment vraiment le conte, vous pouvez les impliquer davantage en introduisant de nouvelles actions. Par exemple : « Jacques commence à taper des mains ! » Faites le tour du groupe jusqu'à ce que chacun ait eu sa chance et terminez le conte en disant : « Ils avaient eu tellement de plaisir dans leur cercle d'histoires qu'il était désormais l'heure de dormir. Jacques ferma donc les yeux et s'endormit. » Faites la même chose pour chaque bébé jusqu'à ce qu'ils soient tous calmes et détendus. Ce type de conte impromptu est quelque chose que vous pouvez faire n'importe quand, n'importe où, et les bébés adoreront l'expérience !

Bébés plus vieux et petits enfants (2 à 5 ans)

HABILLEZ VOS HISTOIRES

Les enfants adorent se costumer. C'est amusant et ils peuvent faire preuve d'imagination. Constituez une boîte à costumes à laquelle vous pourrez ajouter des éléments. Vous n'avez pas à la remplir de vêtements – foulards, gants, chapeaux et morceaux dépareillés peuvent être utilisés de bien des façons. Dites aux enfants de fouiller dans la boîte et d'en sortir quelques articles. Maintenant, demandez-leur de les mettre et d'inventer un personnage. Accordez-leur cinq minutes pour y penser et, une fois prêts, dites-leur de se tenir ou de s'asseoir sur la « scène improvisée ». Demandez aux enfants de faire semblant qu'ils sont sous les projecteurs et que vous allez les interviewer. Posez de nombreuses questions sur leur personnage – des questions évidentes comme son nom, et où il vit, et aussi des questions comme ce qu'il mange au déjeuner. Encouragez le reste du groupe à poser aussi des questions. Permettez à chaque enfant d'avoir son tour, puis demandez aux enfants d'échanger les vêtements et recommencez le jeu !

HISTOIRES DE VALISE

Achetez une vieille valise ou un coffre et remplissez-les d'objets de toutes sortes. Vous pouvez utiliser un mélange d'objets usuels que les enfants ont déjà vu et y ajouter quelques objets inhabituels. Par exemple, un linge à vaisselle, un bol, une fourchette et un ballon, puis des jumelles. Chaque enfant pige quelque chose dans la valise, puis chacun doit décrire à quoi sert l'objet qu'il a pris. Encouragez le groupe à avoir du plaisir en donnant des réponses inhabituelles. Ainsi, le linge à vaisselle peut servir à sécher la vaisselle, mais il peut aussi être un tapis magique miniature ou un intéressant foulard de pirate !

Vous pouvez aussi diviser les enfants en plus petits groupes et leur donner un objet. Demandez-leur de réfléchir à des usages magiques de l'objet et encouragez-les à produire un dessin illustrant cet usage. À la fin de la session, vous pouvez demander à chaque groupe de dévoiler ses idées et de montrer ses dessins.

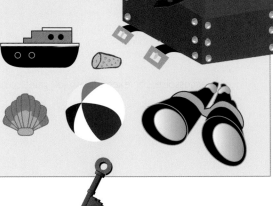

CARTES-AVENTURES

Dites au groupe qu'il va réaliser un conte-jeu. Donnez aux enfants de petits morceaux de carton colorés et demandez-leur de réfléchir à différents personnages que l'on trouve dans les histoires. Aidez-les en suggérant quelques archétypes comme les pirates, les lutins, les fées, les chevaliers, les dragons, etc. Ensuite, demandez aux enfants de dessiner des images sur les cartes pour représenter chacun des personnages qu'ils ont choisis. S'ils veulent tenter d'écrire quelque chose, laissez-les faire. Enfin, demandez-leur de donner à chacune des cartes qu'ils ont réalisées un numéro de 1 à 10. À la toute fin, chaque enfant devrait avoir un paquet de dix cartes illustrées et numérotées.

Le but du jeu consiste à les amener à penser aux personnages. Formez des équipes de deux avec leurs cartes. D'abord, ils doivent bien brasser les cartes. Ensuite, chaque enfant d'une équipe doit à tour de rôle piger une carte du dessus du paquet et la déposer, un peu comme lorsqu'on joue à la bataille. Demandez à chaque enfant de parler du personnage en déposant la carte. Par exemple : « C'est un pirate nommé Pierre et il porte un bandeau ! » L'enfant dont la carte a le plus gros chiffre emporte la paire. Quand toutes les cartes ont été utilisées, l'enfant qui a le plus grand nombre de paires gagne.

Vous pouvez créez un jeu semblable avec des décors d'histoire. Dans cette version, chaque enfant choisit cinq différents décors ; par exemple, la plage, la forêt, un terrain de jeu, le monde des fées, un château. Puis il doit dessiner les cartes et donner à chacune un numéro de 1 à 5. Tout comme si on jouait à la bataille avec eux, les enfants peuvent utiliser les deux ensembles de cartes et piger des cartes de chaque paquet pour inventer des idées d'histoire.

CERCLE D'HISTOIRES

Ce type de conte-jeu fonctionne mieux avec des bébés plus vieux et de petits enfants. Assoyez-vous en cercle et expliquez que vous allez créer une histoire tous ensemble. Pour aider, vous pouvez inclure un accessoire, par exemple, un joli galet coloré ou un morceau de cristal. L'accessoire fera le tour du cercle afin que chaque enfant puisse le tenir à tour de rôle et ajouter quelque chose à l'histoire. « Cette histoire a pour sujet un cristal magique et les aventures qui lui arrivent. » Encouragez chaque enfant à ajouter une phrase ou quelques mots à l'histoire. Si un enfant éprouve des difficultés, demandez-lui de parler de l'accessoire — Quel est son nom ? D'où vient-il ? Où va-t-il ? Il y a beaucoup de place pour les idées et l'accessoire les aidera à concentrer leurs pensées.

6

Si vous voulez trouver la bonne histoire pour

vos sessions de lecture, il est utile de connaître

les différents styles et types disponibles.

Chacun a ses mérites et opère sur différents

plans, depuis les leçons de morale jusqu'à

l'ouverture des vannes vers la créativité. Ce

chapitre définit les grandes lignes des trois

types d'histoires et la meilleure façon de

les utiliser avec votre bébé !

Idées d'histoires

Types d'histoires

Il y a trois types principaux d'histoires que vous pouvez lire à votre bébé : les contes traditionnels, les contes à rebondissements et les contes de mémoire. Chaque type a ses mérites. Dans ce chapitre, vous trouverez un exemple de chacun de ces types que j'ai utilisés avec succès auprès de groupes au cours des années. Dans les encadrés, je suggère des choses à faire pour rendre l'histoire encore plus intéressante.

Contes traditionnels

Il s'agit d'un gigantesque chapeau coiffant les contes folkloriques, les contes de fées et aussi les fables. Les contes traditionnels sont simples mais efficaces. Les intrigues sont faciles à comprendre et parfaites pour les tout-petits. Ces contes sont juste assez longs pour capter l'intérêt d'un bébé et les thèmes sont amusants et magiques. La plupart des contes traditionnels ont tendance à contenir une morale ou un sens plus profond qui se dégage clairement. Lorsque vous faites la lecture à votre enfant, utilisez un mélange de ces contes tout en recherchant des versions modernes. Quand il aura grandi, vous pourrez discuter des thèmes avec votre bébé et lui poser des questions ; à ce stade, il sera déjà familiarisé avec la formule du conte et les personnages.

Contes à rebondissements

Cette sorte de contes est formidable pour les enfants légèrement plus vieux et fonctionne bien dans un groupe où les enfants peuvent collaborer ensemble et proposer des idées créatives. Un conte à rebondissements est une histoire qui vous amène au bord d'une crise. L'histoire reste ouverte et, ainsi, vous ou votre enfant pouvez essayer d'imaginer ce qui arrivera ensuite. La plupart des contes classiques pour enfants peuvent être adaptés en contes à rebondissements. Tout ce qu'il suffit de faire, c'est d'atteindre un point où l'histoire peut évoluer dans une direction ou une autre ; vous demandez alors à votre enfant ce qui, selon lui, devrait arriver. Ensemble, vous pouvez explorer le conte et trouver des fins alternatives.

Les contes à rebondissements fonctionnent bien dans les fêtes où les enfants peuvent s'amuser ensemble et même incarner ce qui arrive ensuite. Plutôt que de les laisser devant une page blanche, l'histoire leur fournit le premier barreau de l'échelle en campant le décor et en introduisant les personnages. Tout ce qu'ils ont à faire à partir de là, c'est d'imaginer ce qui suit !

Boîte de souvenirs

Dès la naissance de votre bébé, créez une boîte de souvenirs dans laquelle votre tout-petit pourra ajouter des choses. Mettez-y vos propres photos et le texte de vos histoires et, quand votre enfant sera assez vieux, encouragez-le à partager ses souvenirs (en dessins ou en textes) et ajoutez-les à la boîte. Le but consiste à pouvoir piger dans la boîte n'importe quand et en sortir une histoire que vous connaissez tous les deux et aurez du plaisir à conter ensemble. Cela procure aussi des matériaux excellents pour une session de contes en groupe.

Contes de mémoire

Les contes basés sur l'expérience personnelle fonctionnent bien à tous les âges. Avec les bébés, vous pouvez utiliser un simple souvenir et le transformer en conte de fées. Cela peut sembler compliqué, mais tout ce que vous avez à faire consiste à inclure des archétypes populaires et un soupçon de magie. Ainsi, le voyage au bord de la mer lors duquel vous avez appris à nager pourra inspirer l'histoire de la princesse qui sauta dans un lac enchanté et à qui des sirènes montrèrent à nager. Quand votre enfant aura grandi, vous pourrez lui expliquer l'origine de l'histoire et l'encourager à essayer de créer ses propres contes de mémoire. Demandez-lui de penser à un souvenir heureux – comme son jour d'anniversaire préféré ou ses vacances favorites, ou peut-être le jour où il a reçu son hamster. Faites-lui dessiner l'évènement, puis demandez-lui de partager son souvenir avec vous. Avec un peu d'aide et de conseils, il sera capable de transformer ce moment en une courte histoire que vous pourrez raconter ensemble.

BONS CONSEILS POUR CRÉER UN CONTE DE MÉMOIRE

Choisissez des souvenirs heureux ou drôles – Le but, c'est que vous puissiez conter l'histoire et parler du souvenir ensuite.

Pensez en images – Repassez votre souvenir comme si vous regardiez un film. Quand vous arrivez au moment crucial de l'expérience, faites un arrêt sur image, comme si elle était devant vous. Cela vous aidera à trouver les mots et le ton justes pour conter l'histoire.

Fragmentez le souvenir – Vous avez besoin d'un début, d'un milieu et d'une fin. Imaginez qu'un pont amène l'histoire du début au milieu, puis du milieu à la fin. Pensez à trois courtes phrases pour chaque section et à un mot qui résumerait le sujet de l'histoire.

Soyez créatif – Sortez-vous de l'histoire et faites-en l'histoire de quelqu'un d'autre. Utilisez votre fragmentation du souvenir (voir ci-dessus), transformez l'évènement en un conte de fées avec des personnages tels des rois, des reines, des dragons, des trolls et des fées, et ajoutez une touche de magie.

Créez un bon début et une bonne fin – Rendez les premières phrases excitantes afin qu'elles captent l'attention et assurez-vous de ne rien laisser en suspens pour que la fin soit satisfaisante. Il faudra aussi transmettre la bonne impression : par exemple, si votre histoire traite de l'amitié, les dernières phrases doivent refléter ce concept.

La crotte de nez du roi

Le conte traditionnel d'Alison

Je ne suis pas certaine de l'origine de cette histoire, mais elle circule dans le cercle des conteurs et conteuses depuis de nombreuses années ; ce faisant, elle a pris de l'ampleur et s'est modifiée, comme la plupart des bonnes histoires. C'est une histoire drôle, avec une morale, qui fonctionne avec la majorité des groupes d'âge, quoique les enfants un peu plus vieux saisiront la blague finale. Ne laissez pas le titre vous dégoûter. Les enfants réagissent aux histoires qui comptent un élément ridicule et celle-ci renferme de beaux mots et un sens plus profond qu'il n'y paraît. La version qui suit est la mienne, accompagnée de notes et de suggestions que vous pouvez utiliser en la racontant !

Si vous êtes face à un groupe, vous pouvez ajouter un élément de plaisir supplémentaire : suggérez que ce conte contient une expression magique (voir *Les mots clés*, à la page 52), qui est « crotte de nez ». Chaque fois que vous la prononcerez, les enfants devront la crier trois fois.

Il était une fois un roi qui était le roi le plus paresseux qu'on puisse imaginer. En fait, c'était le roi le plus paresseux qui ait jamais existé, parce qu'il ne faisait jamais rien par lui-même. Il avait des serviteurs qui faisaient tout à sa place, depuis lui peigner les cheveux, lui moucher le nez, lui brosser les dents et même, j'ose le dire, jusqu'à lui gratter le derrière !

Un matin, le roi était assis dans son lit. Le serviteur du déjeuner royal venait tout juste de lui servir son déjeuner lorsqu'un amas de poussière s'engouffra dans sa narine droite. Le roi fronça le nez, renifla et tenta désespérément de se débarrasser de la sensation de chatouillement, mais ses efforts n'y changèrent rien. Le picotement était si intense qu'il ne put réprimer un énorme éternuement.

– AAAAAAAAATCHOUMMM ! (Amplifiez le son et incitez votre enfant ou les enfants à se joindre à vous.)

Lorsque le roi regarda son doigt, il vit au bout une grosse, grasse et très laide crotte de nez verte !

– Oh non, cria-t-il au serviteur du déjeuner royal, je viens de faire un gros éternuement et maintenant j'ai une grosse et grasse crotte de nez verte au bout du doigt. Débarrassez-moi de ça, vite, vite, vite !

– Votre majesté, dit le serviteur du déjeuner royal, je suis heureux de vous aider à prendre votre déjeuner, parce que c'est ce pour quoi vous me payez, mais je ne vous débarrasserai pas de crottes de nez sur vos doigts.

Sur ces mots, le serviteur s'éclipsa aussi vite qu'il le pouvait. Le visage du roi devint aussi rouge qu'une tomate.

« C'est terrible, que vais-je faire ? » se demanda le roi. Il trépigna de colère dans sa chambre, puis il eut une idée. « Je vais demander l'aide du moucheur du nez royal ! » Il fit appeler le moucheur du nez royal, qui surgit la seconde d'ensuite.

– Comment puis-je vous servir, votre majesté ? demanda le moucheur du nez.

– Voilà, soupira le roi, j'ai éternué très fort et, depuis, il y a une grosse et grasse crotte de nez verte au bout de mon doigt. Débarrassez-moi de ça, vite, vite, vite !

Le moucheur du nez royal regarda le roi, puis la crotte de nez au bout de son doigt, et dit :

– Je vous présente mes excuses, votre majesté, en toute sincérité. Vous m'employez seulement pour moucher votre nez, non pas pour débarrasser vos doigts de crottes de nez.

Sur ces mots, il s'enfuit de la chambre à coucher, laissant le roi en rage.

Le roi était très en colère. Il était si furieux qu'il se sentait comme si de la fumée lui sortait par les oreilles ! Pourquoi personne ne voulait-il l'aider ? Après avoir arpenté la pièce à grands pas furieux, il eut une idée. « La reine, la reine viendra sûrement à mon secours ! » Alors, il fit appeler le reine, qui apparut dans un grand froissements de jupes et de jupons.

– Mon cher mari, que puis-je faire pour vous aider ? demanda la reine (utilisez une voix haut perchée).

Le roi était presque en larmes. Il dit d'une voix tremblante (que vous pourriez imiter) :

– Voici ce qui m'arrive. J'ai eu cet énorme éternuement et, depuis, j'ai cette grosse et grasse crotte de nez verte au bout du doigt. Débarrassez-moi de ça, vite, vite, vite !

La reine parut alarmée.

– Veuillez m'excuser, mon cher, déclara-t-elle. À titre d'épouse, je suis heureuse de faire beaucoup de choses pour vous, mais je ne peux ni ne veux débarrasser vos doigts de crottes de nez.

Sur ces mots, elle quitta la chambre aussitôt.

Le roi entra dans une telle colère qu'il n'était plus lui-même. Pourquoi personne ne lui venait-il en aide ? Qu'allait-il faire ? Il arpenta le château à grands pas furieux (vous pouvez faire de même), allant de pièce en pièce et, à chaque personne qu'il croisait, il brandissait son doigt dans leur visage (encore, agitez votre doigt) et criait :

– Débarrassez-moi de ça, vite, vite, vite !

Et, bien sûr, personne n'osait. Et toi, l'aurais-tu fait (vous, l'auriez-vous fait) ?

Le roi était si affligé qu'il pensa pleurer. Il pouvait sentir les larmes monter en lui. Soudain, à sa grande surprise, un jeune serviteur se présenta.

– Qu'y a-t-il ? demanda le garçon.

– Eh bien, voici ce qui m'arrive, soupira le roi. J'ai eu ce très gros éternuement et, depuis, j'ai cette grosse et grasse crotte de nez verte au bout du doigt… et personne ne veut m'en débarrasser.

– Moi, je le ferai, dit le garçon en souriant.

– Tu le feras ? demanda le roi.

– Oui, dit le garçon. Contentez-vous de me suivre et faites exactement ce que je dis.

Le roi était si heureux qu'il s'exécuta sans protester. Il suivit le garçon jusqu'à la cour royale à proximité de l'atelier du forgeron (à ce moment, si vous contez l'histoire à des enfants plus vieux, vous pouvez leur demander s'ils peuvent vous décrire le travail d'un forgeron).

Le forgeron venait tout juste de lever son marteau au-dessus de sa tête lorsque le garçon dit au roi :

– Mettez tout simplement votre doigt là.

Alors, le roi obéit. Il tendit le bras et le forgeron abattit son marteau avec un retentissant paf !

– AÏE ! cria le roi.

La douleur était terrible. Son doigt lui élançait là où le marteau l'avait frappé. C'était comme s'il enflait tel un ballon. Cela faisait si mal que le roi se crut sur le point d'exploser et, à l'agonie, il se mit à sauter sur place (encore, vous pouvez faire de même). Il n'y avait qu'une chose à faire. Il devait rafraîchir son doigt… et vite. Il mit son doigt dans sa bouche et aspira un bon coup.

– Oh, voilà qui est mieux ! s'écria le roi.

Puis il regarda son doigt. La crotte de nez était partie ! Soudain, il réalisa ce qu'il avait fait.

– Oh, pauvre de moi, se lamenta le roi. J'ai mangé ma crotte de nez !

Pendant un moment, il fut sous le choc, puis un grand sourire illumina son visage. C'était la première fois que le roi faisait quelque chose de lui-même et il se sentait bien. Il s'était lui-même débarrassé de la crotte de nez ! (À ce moment, vous pouvez demander à l'enfant, ou aux enfants, s'il peut deviner ce qu'est la morale de l'histoire.)

Maintenant, la morale de cette histoire est assez évidente à tirer. Essayez toujours de faire quelque chose par vous-même. Même si vous pensez que vous ne pouvez pas le faire, il vaut la peine d'essayer, parce que c'est certainement mieux que de manger ses crottes de nez !

Le parapluie magique

L'histoire à rebondissements d'Alison

Voici une histoire que je conte tout le temps aux tout-petits. C'est une histoire très simple et très facile à apprendre et à mémoriser. Elle fonctionne à merveille avec un groupe. Vous pouvez utiliser l'idée de la phrase magique en suggérant que, chaque fois que vous pointez le doigt ou tapez des mains, les enfants doivent crier : « Qu'y a-t-il dans la boîte ? » Cela maintiendra leur intérêt et ils s'impliqueront dans la suite de l'histoire.

Liam aimait l'aventure. Il aimait courir dehors et grimper aux arbres les plus hauts. Il aimait explorer, avoir beaucoup de plaisir et il était toujours prêt à faire une bêtise ! Un jour, alors que Liam revenait à la maison après l'école, il aperçut quelque chose de brillant et de doré dans le champ.

Qu'est-ce que c'est ? songea-t-il. *Je dois voir cela de plus près.*

Il sauta par-dessus la clôture et se mit à courir en direction de l'objet. En arrivant un peu plus près, il réalisa que la chose dorée et brillante était, en fait, une boîte dorée brillante.

Wow, songea Liam, *je me demande… QU'Y A-T-IL DANS LA BOÎTE ?*

En s'approchant plus encore, il put voir combien elle était éblouissante et beaucoup plus grosse que ce qu'il avait d'abord imaginé.

Une fois de plus, il songea… QU'Y A-T-IL DANS LA BOÎTE ?

Elle était si jolie qu'il devait y avoir quelque chose de spécial à l'intérieur. La boîte était presque à sa portée et il se demanda s'il devait la laisser sur place, mais la question demeurait dans son esprit : QU'Y A-T-IL DANS LA BOÎTE ? Alors, il prit une grande inspiration et l'ouvrit (*à ce moment, vous pouvez demander aux enfants du groupe ce qu'ils pensent qu'il pourrait y avoir dans la boîte*).

Il n'en croyait pas ses yeux. Là, dans la boîte, il y avait un magnifique parapluie (*demandez aux enfants s'ils savent l'usage qu'on fait d'un parapluie*).

Il ne pleuvait pas, mais Liam décida de l'ouvrir et de bien l'examiner. En le faisant tourner au-dessus de sa tête, il put voir qu'il arborait toutes les couleurs de l'arc-en-ciel. Il y avait des motifs et des formes colorés qui semblaient capter la lumière et se mettre en mouvement. On aurait dit la danse de créatures magiques.

Liam était si captivé par les formes qui bougeaient et se contorsionnaient qu'il ne remarqua pas que le parapluie avait commencé à s'élever dans les airs. Il s'envolait de plus en plus haut, emportant Liam avec lui. Liam se balançait au bout et pouvait presque sentir ses pieds toucher les nuages blancs moelleux.

— Wow ! C'est magnifique ! s'écria-t-il.

Il pouvait voir à des kilomètres à la ronde.

Ce fut à ce moment précis qu'un gros corbeau noir plongea et se mit à picorer le parapluie (*demandez au groupe de faire des bruits et des mouvements de picorement !*).

— Oh, ne fais pas ça, je t'en prie ! cria Liam, mais il était trop tard.

Le corbeau avait fait un trou énorme dans le parapluie. Soudain, celui-ci commença à retomber vers le sol. Il allait de plus en plus vite plongeant à une telle vitesse que Liam ne pouvait regarder. Il mit une main devant ses yeux et serra les dents.

Toutefois, à sa grande surprise, plutôt que de s'écraser sur la terre, il atterrit avec une légère secousse... et il était sain et sauf. Tout allait bien !

Lentement, Liam ouvrit les yeux et regarda autour de lui.

— Wow ! s'exclama-t-il, je n'en crois pas mes yeux...

Liam avait atterri au beau milieu de...

C'est ici que vous arrêtez l'histoire et demandez aux enfants où ils pensent que Liam a atterri et ce qui pourrait lui être arrivé par la suite. Laissez-les énoncer leurs suggestions et encouragez-les à puiser dans leur imagination. Vous pourriez même leur demander de dessiner le lieu où se trouve Liam selon eux. Accordez-leur du temps pour ce faire, puis demandez-leur de partager leurs idées. Souvenez-vous de poser beaucoup de questions et encouragez-les à utiliser différents types de langages.

La princesse et l'abeille

Le conte de mémoire d'Alison

Cette histoire est basée sur un souvenir d'enfance, alors que j'étais partie en vacances avec ma mère et mon père. C'est quelque chose dont je me suis toujours souvenue et qu'il était facile de transformer en conte de fées que je pouvais mettre en paroles. Je l'utilise souvent quand je me rends dans des garderies et des écoles ; il est excellent pour stimuler des échanges à propos des abeilles et des affreux insectes rampants et pourquoi ils sont si importants.

Il était une fois une petite princesse, qui était la petite princesse la plus timide qu'on puisse imaginer. Elle était nerveuse et gênée ; elle avait même peur de son ombre !

Le roi et la reine étaient très inquiets à propos de leur fille, parce qu'elle était si renfermée. Ils tentèrent tout ce qui était en leur pouvoir pour l'aider à se sentir plus sûre d'elle-même. Ils consultèrent les plus grands magiciens du royaume. Ils demandèrent aux fées d'intervenir et se rendirent même chez la sorcière au-delà de la vallée. Toutefois, personne ne réussit à faire en sorte que la princesse surmontât ses peurs. Un jour, ils entendirent parler d'un grand évènement dans le royaume voisin. On organisait une grande fête et tous les enfants étaient invités.

— Cela me semble amusant, dit le roi. Je me demande si je ne devrais pas y conduire la princesse. Peut-être jouera-t-elle avec les autres enfants et qu'elle se sentira beaucoup mieux.

La reine acquiesça et, cette nuit-là, ils firent leurs bagages et emmenèrent leur fille sans tambour ni trompette dans le carrosse royal. Ils atteignirent le royaume voisin le lendemain à la tombée de la nuit. La fête battait déjà son plein. Des danseurs tourbillonnaient dans la grande salle de bal, des clowns faisaient des pirouettes et des jongleries. La pièce bourdonnait d'activité et du rire des enfants.

La petite princesse resta en retrait, à observer. Elle ne s'était jamais sentie aussi effrayée et seule qu'à ce moment-là. Lentement, elle s'avança dans la foule, les jupes des danseuses la frôlaient et la musique lui parut devenir plus forte. Elle pouvait apercevoir une immense fenêtre voûtée à l'autre bout de la salle et, soudain, elle eut envie de regarder dehors par cette fenêtre. En s'approchant, elle constata qu'une grosse abeille bien dodue était installée sur le rebord de la fenêtre. (*Ici, vous pouvez faire une pause et demander à votre enfant – ou aux enfants – à quoi ressemble une abeille selon lui. S'il est assez vieux, il peut savoir ce que fait une abeille ; sinon, prenez le temps de lui expliquer.*)

Cette abeille ne ressemblait à aucune abeille que la princesse avait vue jusqu'à ce jour. L'insecte était gros, poilu et ses bandes dorées étincelaient.

Il y avait quelque chose de vraiment magique chez lui.

La princesse sourit.

— Tu es une jolie abeille, dit-elle.

L'abeille sourit aussi.

— Merci, tu es une jolie petite fille. Pourquoi ne joues-tu pas avec les autres enfants ?

— J'ai peur, répondit la princesse. J'air peur de ce qu'ils vont penser de moi.

L'abeille bourdonna un peu, puis elle dit :

— N'aie pas peur. Tu ne devrais jamais avoir peur de quoi que ce soit.

— Je n'y peux rien, avoua la princesse. J'ai peur tout le temps.

L'abeille sourit, autant qu'une abeille puisse sourire, puis dit :

— Pourquoi ne viens-tu pas plus près ? Caresse-moi. Je me sens seule et effrayée aussi. La plupart du temps, les enfants m'évitent. Ils hurlent quand ils m'aperçoivent.

— Ils font ça ?

— Oui, soupira l'abeille. J'ignore pourquoi ils ne m'aiment pas.

— Moi non plus, dit la princesse. Je pense que tu es une très gentille abeille !

— C'est parce que tu es une très gentille petite fille ! rétorqua l'abeille.

La princesse savait que les abeilles peuvent piquer, surtout si on les touchait. Elle avait appris cela à l'école. Néanmoins, il y avait quelque chose de dif-férent chez cette abeille. Elle était si gentille et ami-cale. La princesse comprenait que l'abeille était aussi seule qu'elle et qu'elle avait besoin de réconfort.

— N'aie pas peur, l'incita l'abeille.

— Je n'ai pas peur, dit la princesse en gloussant et en tendant la main. Ses doigts dansèrent sur le dos duveteux de l'abeille. C'était doux et chaud. C'était tout à fait comme un petit ourson.

Soudain, une étrange sensation de picotement lui traversa le bras, comme un éclair s'étirant dans toutes les directions.

— Oh, qu'est-ce que c'était ? haleta-t-elle.

Cependant, plutôt que d'être apeurée, elle était tout excitée. Il lui arrivait quelque chose et c'était quelque chose de bien. Elle se sentit vivante et comblée de lumière et de bonheur.

Le roi, qui observait avec attention sa fille depuis l'autre bout de la salle, ne put se retenir de crier. Il avait pu voir ce qui était arrivé et il pensa que la princesse avait mal. Il s'élança vers elle, les bras tendus.

— Ma chère petite fille, que t'est-il arrivé ? Te sens-tu bien ?

La princesse leva les yeux vers lui et sourit.

— Ne t'en fais pas, papa, je vais bien. En fait, dit-elle les yeux brillants, je me sens mieux que bien. Je me sens vivante et vibrante de magie !

— Ah oui ? demanda le roi, intrigué.

Il savait que les abeilles pouvaient piquer, mais il ne se rendit pas compte qu'il s'était agi là d'une abeille magique.

— Je n'ai plus peur du tout, dit la princesse en souriant.

Elle se retourna pour remercier l'abeille de sa générosité mais, quand elle regarda vers le rebord de la fenêtre, l'abeille avait disparu.

— Je me demande où elle est allée, soupira-t-elle. Mais je n'oublierai jamais combien cette petite abeille m'a aidée.

Sur ces mots, elle courut vers un groupe d'enfants qui jouaient et se mêla à eux. À compter de ce jour, la petite princesse n'eut plus jamais peur de rien. En outre, le royaume regorgea de miel, parce que toutes les abeilles se souvenaient de la gentillesse d'une petite fille qui s'était liée d'amitié avec une abeille esseulée.

(*À des enfants un peu plus vieux, vous pouvez demander ce qu'ils estiment être la morale de ce conte.*)

Contes adaptés

En vieillissant, votre enfant commencera à comprendre les mots et les images et, de ce fait, il appréciera de plus en plus les bénéfices de la lecture et de l'art du conte. Rendez vos sessions de lecture vraiment spéciales : introduisez un élément de magie dans une histoire en la liant au monde de votre enfant. Quoiqu'il soit possible d'acheter un produit imprimé (*voir l'encadré*), il est facile de faire vos propres livres d'histoires personnalisés.

Conte personnalisé

Prenez un conte classique bien connu et transcrivez-le ou faites-en une photocopie, mais laissez des blancs pour les personnages. Vous insérerez le nom de votre enfant dans l'histoire, à titre de héros ou d'héroïne. Votre enfant étant au centre de l'histoire, vous devez choisir un conte qui convienne. Ainsi, le personnage principal devra être un enfant de son âge. Il ou elle devra aussi être « bon ». Si l'histoire le permet, utilisez les noms des amis de votre enfant, de même que maman et papa et les grands-parents. Quoique l'histoire soit basée sur un conte familier que vous pouvez avoir déjà lu, vous pouvez changer le titre pour le rendre unique. Si vous vous sentez assez sûr de vous, vous pouvez introduire des éléments dans l'histoire afin qu'elle soit vôtre. Par exemple, La Belle au bois dormant (*votre fille*) pourrait être perdue dans le monde des rêves où elle vit sa propre aventure. Le prince pourrait être maman ou papa qui vient la sauver et lui donner un gros baiser.

Commencez en disant à votre enfant que, s'il adresse un souhait très spécial à la fée de la lecture, elle créera une histoire spécialement pour lui ! Si votre enfant est assez vieux, encouragez-le à participer à l'histoire avec des idées pendant que vous la lisez ensemble. Si vous avez trouvé une veine créative, vous pourriez prendre quelques feuilles de papier, écrire l'histoire et insérer des images et des photos de votre tout-petit et de ses amis pour la rendre vraiment personnelle.

Échantillon d'histoire

Cette histoire est basée sur *Les trois petits cochons*. C'est une histoire formidable, surtout si vous avez plusieurs noms et personnages à insérer dans le conte.

Il était une fois trois petits enfants, qui s'appelaient (*le prénom de votre enfant*), (*le prénom d'un ami*) et (*le prénom d'un autre ami*). Il allaient tous à l'école ensemble et avaient beaucoup de plaisir. L'institutrice (*utilisez un nom connu*) aimait leur faire la lecture et leur répétait chaque fois qu'ils devaient toujours essayer de faire de leur mieux.

Un jour, chacun des enfants décida de bâtir un repaire où jouer. Voulant bâtir son repaire rapidement, le premier enfant (*ami 2*) le construisit donc en papier. Le deuxième enfant (*ami 1*) bâtit son repaire en paille, parce qu'il ne voulait pas y consacrer trop de temps. Le troisième enfant (*votre enfant*) bâtit son repaire avec des branches liées ensemble avec de la corde. Il y mit beaucoup de temps et d'efforts, mais il savait qu'il avait fait de son mieux. Les trois repaires avaient belle allure ; les enfants y jouèrent et eurent beaucoup de plaisir. Dans l'après-midi, le soleil disparut et le ciel s'assombrit. De gros nuages sombres apparurent et le vent se mit à souffler.

Le premier enfant (*ami 2*) dit : « Mon repaire est le meilleur parce qu'il est fait de beau papier et qu'il est vraiment coloré. » Toutefois, quand le vent commença à souffler, le repaire en papier trembla et après un, deux, trois souffles, il tomba en morceaux. Le deuxième enfant (*ami 1*) dit : « Mon repaire est le meilleur parce qu'il est fait de paille et il est doux au toucher. » Toutefois, le vent souffla de nouveau, cette fois, il souffla encore plus fort et, après un, deux, trois souffles, il souffla le repaire en morceaux. Le troisième enfant (*votre enfant*) dit à ses amis : « Venez avec moi dans mon repaire. C'est le meilleur parce

que j'ai vraiment travaillé fort et que je l'ai fait de branches et de corde. » Les deux autres enfants le rejoignirent et ils s'assirent, blottis les uns contre les autres. Le vent souffla, souffla, et le repaire se mit à trembler, mais il ne céda pas. Il resta intact et protégea les trois amis.

Plus tard ce jour-là, quand ils furent en classe, l'institutrice leur demanda : « Qu'avez-vous appris aujourd'hui ? » Les enfants sourirent et répondirent en chœur : « Nous devrions toujours faire de notre mieux, peu importe ce que nous faisons. » Et le troisième enfant (*votre enfant*) ajouta : « Et les vrais amis devraient toujours s'entraider. »

Allez sur Internet

Il existe de nombreux sites (par exemple, www.alphakid.com) qui peuvent produire des livres ou des histoires imprimées contenant le nom de votre enfant et d'autres détails comme son lieu de résidence, le nom de ses amis, ses sports favoris et ses activités, etc. Certains sont des versions de contes de fées (*Cendrillon, Blanche Neige et les sept nains*, etc.), tandis que d'autres sont des contes originaux. Recherchez sous livres d'histoires personnalisés pour enfants.

7

Faire la lecture à des bébés et à de tout petits

enfants est un excellent outil, et il est fantas-

tique de les entraîner dans une telle routine.

Si vous avez un mode de vie très affairé, vous

vous demandez peut-être comment faire pour

y inclure une session régulière de contes, mais

vous découvrirez qu'il y a des occasions

pendant toute la journée. Vous pouvez aussi

introduire un peu de magie créative, tout en

vaquant à vos affaires ou en vous déplaçant,

et encouragez grand-maman ou grand-papa

à le faire quand ils gardent votre enfant.

Autres occasions
de conter des histoires

Contes de voyage

Voici le scénario. Vous venez de partir pour des vacances familiales, l'auto roule sur l'autoroute et vos tout-petits, à l'arrière, commencent à s'agiter. Les jeux de devinettes ne suffisent pas. Les très petits enfants ont besoin de quelque chose qui les garde occupés et les encourage à se détendre pendant les longs voyages. N'est-ce pas l'occasion idéale pour une histoire ? Évidemment, ce n'est pas une bonne idée de lire une histoire au volant mais, si vous n'avez pas un partenaire prêt à prendre la relève, vous pouvez toujours recourir à l'invention d'une histoire ensemble. C'est très amusant, tout en procurant une autre façon d'enrichir le menu d'histoires de votre enfant.

La beauté de l'art du conte en chemin, c'est que vous avez un paysage sans cesse changeant que vous pouvez utiliser pour garder l'intérêt de votre enfant. Tirez avantage de toute occasion pour raconter une histoire – même un simple aller à la garderie, ou le retour, peut devenir une chance pour un jeu créatif.

Commencez par amener votre enfant dans le conte. Dites quelque chose comme : « Je vais te raconter l'histoire d'un petit enfant appelé (*insérez le prénom de votre enfant*) qui est parti à l'aventure dans une machine volante magique. »

BONS CONSEILS POUR CAPTER L'INTÉRÊT

Ajoutez un peu de magie – Racontez à votre enfant que, tandis qu'il est douillettement bordé à l'arrière de la voiture et que le voyage se poursuit, l'auto se transforme en machine volante magique qui s'envole dans les airs et visite toutes sortes de lieux enchantés.

Regardez par la vitre – Si votre enfant est assez vieux, demandez-lui ce qu'il voit par la vitre de l'auto et incorporez ces éléments dans un conte.

Soyez créatif – Transformez des objets ordinaires en quelque chose de spécial en suggérant que, quoiqu'ils aient l'air normaux, ils sont déguisés. Demandez à votre tout-petit de penser à ce qu'ils pourraient être. Par exemple, le grand arbre au bord de la route est, en fait, un vieil homme qui peut changer de forme et, quand les branches se balancent, c'est sa façon de saluer les passants !

En racontant, vous constaterez que l'histoire prend une vie qui lui est propre. Vous pouvez aller dans toutes les directions et arrêter si votre enfant est fatigué ou s'endort, et la reprendre à son réveil. Si vous faites le trajet fréquemment, conter une histoire fera partie du voyage et votre enfant voudra participer alors que grandira sa confiance en soi.

Le beau côté de la création d'histoires en voyage, c'est que vous avez la possibilité d'utiliser un vocabulaire différent. Si vous lisez les mêmes livres à votre enfant, vous ne l'exposez qu'à une gamme limitée de mots mais, quand vous créez des histoires et utilisez votre environnement comme inspiration, votre palette de mots est plus vaste. Un exemple : l'observation des nuages. Le ciel offre d'énormes possibilités pour inspirer des histoires et, en particulier, les nuages dans le ciel dont la capacité de changer de forme stimule l'imagination. Si vous contez *Le monde des nuages* (voir au verso), vous pouvez indiquer à votre bébé des nuages de formes différentes et lui dire ce qu'ils évoquent pour vous ; si votre enfant est un petit peu plus vieux, vous pouvez lui demander de faire tout cela à votre place. Encouragez votre enfant et donnez-lui des idées ; quand il découvre quelque chose, assurez-vous de lui dire que vous avez vu un peu de poussière de nuage tomber sur sa tête. Quoique votre enfant ne puisse pas la voir ou la sentir, vous l'aurez vue tomber et, donc, quand il s'endormira, il fera des rêves magiques. Vous pouvez lui rappeler cette délicate suggestion quand il ira au lit pour le préparer à un sommeil reposant.

LE MONDE DES NUAGES

Il était une fois un monde installé si haut dans le ciel qu'il était fait de nuages. Chaque nuage était doux et moelleux et dégageait un parfum délicatement sucré comme la barbe à papa. L'autre bonne chose à propos du Monde des nuages, c'était que chaque nuage était différent et pouvait changer de forme. Cela veut dire que les enfants du Monde des nuages avaient beaucoup de plaisir. Ils pouvaient sauter de nuage en nuage et les observer alors qu'ils changeaient de forme. Parfois, ils faisaient la course dans le ciel, comme s'ils conduisaient des chars flamboyants. À d'autres moments, ils étaient contents d'être simplement assis sur les doux coussins, confortablement installés et heureux de flotter dans les airs. Le Monde des nuages était un endroit magique et les enfants voulaient vraiment le partager avec les enfants sur Terre. Ils décidèrent donc d'inventer un règlement: tout enfant de la Terre qui arriverait à deviner la forme exacte d'un nuage recevrait un peu de poussière de nuage sur la tête. Ainsi, dans son sommeil, il pourrait visiter le Monde des nuages et avoir le plaisir de voler dans le ciel et vivre de nombreuses aventures…

AUTO ROUGE, AUTO JAUNE

Chaque enfant choisit une auto colorée qui figurera dans l'histoire. Chaque fois qu'un enfant voit une auto de sa couleur, il doit crier et ajouter quelque chose au personnage de l'auto; par exemple, l'auto rouge aime manger des tomates ou la meilleure amie de l'auto rouge est l'auto jaune. Bientôt, vous aurez beaucoup d'informations sur chaque auto et vous aurez alors ce qu'il faut pour inventer une histoire. L'histoire devrait attirer les enfants de votre groupe parce qu'ils ont été impliqués dans la définition des personnages. Vous pourriez même essayer d'insérer des informations fausses, comme l'auto rouge aime le brocoli, et voir si le groupe est attentif et vous corrige. Cette sorte de jeu continu peut être utilisé encore et encore et, si vous avez un groupe d'enfants qui se réunit régulièrement, vous pourriez demander à ceux-ci de dessiner les personnages de l'auto pour accompagner le conte.

HISTOIRE À CHANTER

Mettez des mots sur la musique préférée de votre bébé tandis que vous tenez le volant. C'est amusant, facile à faire et c'est quelque chose à quoi votre tout-petit peut participer. Avec les bébés, essayez de chanter une comptine sur un air populaire. Ils aimeront le changement de mélodie et la manière dont le langage coule; cela les aidera à se détendre.

Lire avec grand-maman

Gardez à l'esprit que faire la lecture à votre bébé est quelque chose que quiconque peut faire. C'est un plaisir qui peut être partagé entre les membres de la famille et, en particulier, avec les grands-parents qui voudront créer un lien spécial avec leurs petits-enfants. Cela s'applique spécialement aux grands-parents qui ont des problèmes de mobilité et ne peuvent être aussi actifs qu'ils le voudraient. Établissez un horaire hebdomadaire de sessions de lecture avec les grands-parents et d'autres membres de la famille ; ainsi, ils participeront au développement de votre bébé. Cela sera bénéfique pour vous et votre bébé. D'une part, vous n'aurez pas à vous soucier d'intégrer des sessions de lecture tous les jours si vous avez un emploi accaparant et, d'autre part, votre bébé pourra entendre une voix et une approche différentes pendant le conte. En outre, l'aspect social du partage des histoires est une part importante de l'histoire familiale. Cela aidera votre enfant à comprendre qui il est et d'où il vient.

Avec des nouveaux-nés et des bébés

Apportez avec vous ou assurez-vous que les grands-parents ont une réserve de livres illustrés simples ; pour que le bébé se sente à l'aise, choisissez des livres que vous lui avez déjà lus. Même s'il ne comprendra pas l'histoire, il reconnaîtra une impression générale du livre et du motif des mots.

Rappelez à grand-maman et à grand-papa que votre enfant n'est pas aussi habitué à leur voix qu'à la vôtre et qu'il commence seulement à faire des associations avec les sons. Rappelez-leur de garder une voix douce et calme et de lire lentement, en prononçant chaque mot.

Montrez-leur comment tenir le bébé tout près d'eux, dans une position lui permettant de voir le livre mais aussi leur visage, afin qu'il s'habitue à leurs mimiques.

Avec des bébés plus âgés et des enfants plus vieux

À cet âge, les grands-parents ont déjà développé un lien avec leur petit-enfant et celui-ci commence à comprendre un peu plus les histoires qu'ils racontent. Référez grand-maman et grand-papa au chapitre 2 du livre afin qu'ils prennent connaissance des techniques à utiliser pour impliquer votre enfant. Vous devriez aussi suggérer qu'ils inventent des histoires basées sur leurs propres expériences.

En créant des histoires basées sur leur enfance respective, ils seront capables d'introduire un point de vue différent dans l'histoire de la famille.

Encouragez les grands-parents à créer un lieu spécial pour conter des histoires. Ils pourraient trouver un espace approprié dans leur maison et le réserver à la lecture de contes. L'endroit devrait être équipé de peluches, de coussins et d'une natte à histoires sur laquelle ils pourraient s'asseoir avec votre enfant. Ils pourraient même vouloir couvrir un mur d'images à utiliser dans les contes et en ajouter quand leur petit-enfant commencera à dessiner.

Ils peuvent vouloir un ourson, un lapin ou une poupée spécialement pour la lecture des histoires ou comme élément de base d'une série d'aventures avec grand-maman/grand-papa, dans laquelle on retrouvera l'ours, le lapin ou la poupée.

Cependant, l'heure du conte ne doit pas être statique. La lecture ou le conte peut faire partie de l'expérience des jours de sortie. Encouragez les grands-parents à emmener votre enfant dans des lieux qui sont spéciaux pour eux et à inventer des histoires sur ces lieux. S'ils le peuvent, ils devraient baser les histoires sur des expériences réelles, mais y introduire des éléments magiques. Les conseils qui suivent devraient les aider à introduire le passé de façon amusante.

BONS CONSEILS POUR PARTAGER DES EXPÉRIENCES

Des contes bien mémorisés – Choisissez certaines histoires que vous avez aimées enfants et présentez-les à votre petit-enfant. C'est encore mieux quand vous avez une copie du livre original.

Les vieilles photos de famille – Elles peuvent être utilisées pour stimuler les souvenirs. Désignez différents individus et dites quelque chose sur chacun d'eux que l'enfant pourrait aimer savoir. Par exemple : « Voici ta grand-tante Marie ; elle parlait d'une petite voix aiguë comme une souris ! » Ou encore : « Voici ton oncle Jos ; il est très grand, grand comme un arbre. » Vous pourriez faire des bruits ou des gestes qui correspondent à chaque personne.

Les souvenirs d'enfance – Vous pouvez transformer vos souvenirs d'enfance en histoires. Par exemple : « Voici l'histoire de grand-papa qui, quand il était un petit garçon, resta pris dans un pommier. »

Les jouets anciens ou traditionnels – Vous pouvez facilement créer une histoire et lui donner de l'âge en utilisant une poupée ou une vieille toupie de votre enfance.

Arbre généalogique des histoires de la famille

Voici une activité à laquelle les grands-parents peuvent prendre part, tout en étant aussi quelque chose que les parents peuvent développer.

Vous aurez besoin d'un grand babillard et de nombreuses punaises pour épingler les images et les idées d'histoires. Commencez par tracer un arbre sur une grande feuille de papier. Assurez-vous que son tronc est long et dessinez-lui de nombreuses branches. Commencez au pied de l'arbre et montez en ajoutant des descriptions ou des images des quelques premières histoires que vous avez lues à votre bébé. Encouragez chaque membre de la famille à s'impliquer; ainsi, quand ils lisent ou inventent une histoire pour votre bébé, ils peuvent l'ajouter à l'arbre. En grandissant, votre enfant sera capable d'ajouter des images qui illustreront ses histoires favorites, faisant croître chaque histoire jusqu'à ce qu'elle devienne une branche issue du tronc de l'arbre. Il pourra ajouter des idées et des personnages et, même, changer l'histoire s'il le désire. Les grands-parents peuvent ajouter les histoires d'enfance qu'ils ont déjà racontées et les parents, des idées d'histoires à venir. Avec le temps, l'arbre s'enrichira, jusqu'à ce qu'il représente une profusion de créativité et une source d'inspiration que vous pourrez exploiter en tout temps!

Une histoire peut être utilisée non seulement pour divertir, mais encore pour éduquer votre enfant sur le fonctionnement du monde – socialement tout autant que physiquement. Les histoires peuvent aussi servir à présenter des « situations angoissantes », comme l'attente d'un petit frère ou d'une petite sœur, un déménagement ou un séjour à l'hôpital. Partager des histoires pertinentes peut aider un jeune enfant à vivre ces situations de manière plus positive.

Lire dans un but précis

Des contes qui font du bien

Les contes qui font du bien sont des histoires qui enseignent une leçon spécifique ou qui offrent de l'aide et des conseils. Semblables aux fables, qui ont une morale claire, ces contes peuvent être des classiques adaptés ou des histoires inventées spécialement en fonction d'une idée ou d'un thème en particulier. De telles histoires permettent à votre bébé d'apprendre des leçons de vie dans un environnement confortable et amusant. Même les tout jeunes bébés réagiront à ces histoires et, quoiqu'ils ne saisiront pas directement le sens des mots, ils apprécieront la substance du conte et en tireront un enseignement.

On peut citer en exemple le médecin qui garde un « sac d'histoires » dans le bureau où se déroulent les consultations avec les petits enfants. Il tire des objets du sac – habituellement de l'équipement médical –, puis il conte une histoire tout en préparant l'enfant à son examen. Le fait de conter l'histoire calme l'enfant, tout en l'amenant à ne pas craindre les instruments.

APPRENDRE À JOUER GENTIMENT

L'évènement typique pourrait être quand un bébé pleure et que tous les autres bébés du groupe lui emboîtent le pas. Comme ils font beaucoup de bruit et qu'ils ne s'arrêtent pas, la fée des Bébés en Pleurs doit descendre sur Terre et les instruire. La fée des Bébés en Pleurs leur montre que pleurer les uns avec les autres les dérangent et que, s'ils apprenaient à jouer ensemble et à avoir du plaisir, ils se sentiraient beaucoup mieux.

GARDER LES JOUETS PROPRES ET EN ORDRE

Comme Bébé laisse ses jouets partout à la traîne, ils s'égarent facilement. Un jour, l'ourson préféré de Bébé aboutit avec le linge sale par mégarde. Commence alors une aventure qui le conduit dans le Monde de la Laveuse, où il se débat dans une mer tourbillonnante d'eau savonneuse. Ensuite, il est emporté rapidement par une gentille fée marraine dans un merveilleux pays vert, mais seulement pour être suspendu dans les airs par une puissance magique invisible. Nounours parviendra-t-il jamais à  s'échapper? Comment Bébé le retrouvera-t-il? Par bonheur, Bébé aperçoit Nounours accroché à la corde à linge et il le montre du doigt. Bébé réalise que, s'il avait gardé son ourson avec ses autres jouets, il ne l'aurait pas égaré au départ!

Si vous voulez utiliser des histoires dans ce but, vous devez d'abord décider du message que vous désirez transmettre. Quel est le sens au cœur du conte? Quel est le message que vous voulez exprimer?

Choisissez quelque chose de spécifique; plutôt que d'inventer une histoire portant sur le partage des jouets, songez à un incident particulier que vous pouvez mettre en relief. Par exemple, qu'arrivera-t-il si Bébé arrache Nounours des mains d'un autre enfant et que la patte de Nounours se brise? Nounours doit partir à l'aventure en quête d'une nouvelle patte. Il doit traverser toutes sortes d'épreuves pour trouver sa nouvelle patte et Bébé doit lui prêter main-forte parce qu'il se sent mal d'être la cause de ce qui est arrivé. Cette situation pourrait refléter un évènement qui s'est produit, ou qui pourrait se produire, mais c'est un incident spécifique et le point de départ d'une leçon par laquelle votre bébé peut apprendre le partage des jouets et la façon de se comporter.

NE PAS ÊTRE ENVIEUX

Que se passe-t-il lorsque Bébé veut plus de jouets que tous les autres enfants de son groupe? Il commence à devenir envieux, jaloux, et un seul morceau de plasticine ne le satisfait pas. Il en prend de plus en plus aux autres enfants, jusqu'à ce qu'il ait toute la plasticine avec laquelle bâtir son propre château géant. Le problème, c'est que, une fois le château érigé, Bébé est piégé à l'intérieur. Il ne peut voir par-dessus ses remparts et il ne peut jouer avec aucun des autres enfants. Comment s'en sort-il? Entendront-ils ses cris? Morceau par morceau, chaque enfant reprend un morceau de plasticine, jusqu'à ce qu'il ne reste qu'un morceau pour Bébé. Il n'a pas toute la plasticine pour lui tout seul, mais il peut désormais jouer gentiment avec les autres enfants et avoir beaucoup de plaisir.

APPRENDRE À SE FAIRE DES AMIS

Bébé est timide et ne veut pas jouer avec les autres enfants. Il s'assoit tout seul dans un coin, tandis que les autres bébés se serrent les uns contre les autres et partagent leurs jouets. Un jour, un compagnon (ou une compagne) de jeu invisible apparaît à Bébé et se met à lui parler. Au début, Bébé est nerveux, mais il commence bientôt à aimer jouer avec son ami (amie) invisible. Assis dans son coin, il rit et glousse et les autres bébés s'en rendent compte. Bientôt, ils s'approchent pour se joindre à Bébé et découvrir ce qu'il fait. Bébé oublie sa gêne et commence à s'amuser avec les autres enfants.

LIVRES SUGGÉRÉS

(0 à 4 ans)
Le canard qui ne savait sur qui compter
Phyllis Root

Cet excellent conte opère sur plusieurs plans. Il est idéal pour encourager à parler, parce qu'il inclut de merveilleuses onomatopées et d'autres expressions drôles qui impressionnent l'ouïe de la plupart des bébés. Non seulement aide-t-il à développer la mémoire auditive, mais les rimes font de sa lecture un vrai charme. Il y est aussi question de résolution de problèmes. Qu'arrive-t-il quand le petit canard s'embourbe ? Comment chaque animal tente-t-il et parvient-il à libérer le canard ? C'est un effort d'équipe, mais ils y parviennent finalement. Il est important que ce genre de message soit compris par les bébés et les jeunes enfants.

(2 à 4 ans)
Le petit dernier
Frank Asch

Ce joli conte est idéal pour faire participer les tout-petits et, en outre, il inclut une importante leçon de vie, à savoir que bien qu'on puisse se sentir le dernier en toutes choses, il existe toujours quelque chose en quoi l'on excelle. Les illustrations et le ton délicat du texte en font le livre parfait à partager avec de jeunes enfants. Utilisez-le comme une occasion d'interroger votre enfant sur ce qu'il estime être les sentiments du dernier chiot, afin qu'il puisse commencer à s'identifier au personnage et apprécie la leçon véhiculée par le conte.

(0 à 3 ans)
Mais... que veut donc Bébé ?
Phyllis Root

En l'absence de maman, Bébé n'arrête pas de pleurer malgré tous les efforts de grand-maman, de grand-papa, de sa tante, de son oncle, de sa grande sœur et de son petit frère pour le calmer. Mais que veut-il donc ?… C'est le livre parfait pour les nouveaux-nés et les bébés un peu plus vieux. Le thème en est la sécurité et le bien-être qui proviennent de l'amour que tous prodiguent au bébé pour qu'il redevienne heureux. Les personnages sont très caractéristiques, le décor familier, bref tout ce qu'il faut pour capter l'attention des tout-petits.

(2 à 4 ans)
À quatre pattes, les bébés sont partis
Peggy Rathmann

C'est une histoire fascinante : un tout jeune enfant est le héros et sauve la situation ! Non seulement ce livre est-il agréable à lire, mais il offre beaucoup d'occasions de jouer à « trouve le bébé » et de faire compter par votre enfant le nombre de bébés visibles dans l'image. Les illustrations ont la forme de silhouettes, ce qui aide les jeunes enfants à avoir recours à leur imagination.

Gardez à l'esprit que votre histoire n'est pas un sermon ; ce n'est pas l'occasion de dire ce qui est bien ou mal en forçant la note. L'idée derrière ce type de conte, c'est d'allouer une certaine marge à votre tout-petit et d'explorer ce qui peut survenir. Ce type d'histoire initie votre enfant à la prise de décision et l'aide à comprendre comment son comportement peut affecter les autres.

Outre les livres ci-contre, il y a dans les pages précédentes quelques idées de contes qui font du bien et des manières d'en tirer des histoires. Avec toutes ces suggestions d'histoires, encouragez votre enfant à exercer son esprit critique en l'interrogeant sur ce qui se passe. Orientez les jeunes enfants dans la bonne direction en leur fournissant un indice sur ce qu'ils devraient chercher. Ainsi, dans *Ne pas être envieux*, demandez à votre enfant comment il pense que Bébé sortira du château qu'il a bâti. Demandez-lui si c'était une bonne idée que Bébé veuille toute la plasticine. Suggérez que, peut-être, s'il l'avait partagée, les enfants auraient pu construire quelque chose ensemble. Attirez l'attention de votre enfant sur le but de l'histoire et accordez-lui le temps d'y réfléchir.

S'adapter au changement

Il est opportun d'utiliser des contes qui font du bien pour aider les jeunes enfants à affronter une palette d'évènements ou de situations qui pourraient se présenter à eux. Utiliser des histoires dans ce but signifie que votre enfant pourra réfléchir à leur déroulement dans un environnement sécuritaire, ce qui lui rendra les choses familières en évacuant la peur de l'inconnu. Par exemple, la naissance d'un nouveau frère ou d'une nouvelle sœur est un évènement majeur dans l'univers d'un bébé. Cet évènement est associé à toute une panoplie de changements excitants et inquiétants. En lui contant des histoires qui incluent un tel scénario et dont il est l'un des personnages, vous l'aiderez à s'identifier aux changements. Vous serez en mesure de dissiper ses craintes en lui apprenant à quoi s'attendre.

Il existe beaucoup de livres disponibles qui traitent de situations « difficiles » mais, si vous ne pouvez en trouver aucun à votre bibliothèque locale ou si vous en trouvez seulement qui sont inappropriés à votre situation particulière, il est alors préférable de créer votre propre histoire. Créer un conte qui fait du bien peut paraître relever du défi mais, si vous vous en tenez à une structure simple et utilisez les conseils qui émaillent les chapitres précédents pour impliquer votre bébé, vous découvrirez que c'est une tâche aussi facile qu'amusante à réaliser. Cela veut aussi dire que vous pouvez sans cesse inventer des contes qui sont appropriés aux besoins et à l'expérience de votre enfant.

Un nouveau frère ou une nouvelle sœur

Si vous êtes sur le point de présenter un nouveau membre de la famille à votre bébé, réfléchissez à ce qu'il pourrait y percevoir de positif et de négatif. Couchez cela sur papier et réfléchissez aux préoccupations sous-jacentes aux craintes de votre bébé. Par exemple, il pourrait s'inquiéter de ce que la venue du petit frère ou de la petite sœur pourrait signifier qu'il recevra moins d'attention et d'amour? ou qu'il pourrait ne pas aimer le nouveau bébé? ou que le nouveau bébé pourrait ne pas l'aimer? Ce sont des peurs simples, mais elles surgissent du besoin fondamental de votre enfant d'être en sécurité et de sa crainte d'être abandonné. Une fois que vous avez mis cela au jour, vous devez vous assurer que votre histoire aborde ces peurs et les dissipe de manière à ce que votre bébé se sente en confiance et qu'il soit satisfait de l'issue de l'histoire. Vous devez aussi mettre l'accent sur les aspects positifs de la situation appréhendée, afin que votre tout-petit puisse y réfléchir et fasse le lien avec ce qui se produit dans son monde.

Ci-contre, vous trouverez un conte simple qui introduit l'idée d'un nouveau bébé dans la famille; il préparera votre enfant aux changements à venir. Dans le cas d'un enfant un petit peu plus âgé, vous pourriez utiliser l'histoire pour amorcer une discussion et l'amener à parler des inquiétudes qu'il nourrit. Vous pouvez aussi transformer ce genre de conte en histoire à rebondissements, afin d'atteindre le « point de crise » – dans ce cas, alors que le roi et la reine parlent à la princesse de son futur petit frère – et de pouvoir demander à votre enfant ce qui arrive ensuite. Amenez-le à exprimer les aspects positifs et négatifs et à commenter l'histoire à mesure. Par exemple, est-il raisonnable de penser que le roi et la reine oublieront la princesse (ou le prince) une fois que le prince (ou la princesse) sera né? Quand votre enfant commencera à y réfléchir avec logique, il verra que c'est hautement improbable puisque la princesse (ou le prince) est issue d'une famille aimante. Il tirera ses propres conclusions. C'est à ce moment que vous pouvez faire des comparaisons avec votre situation familiale.

Déménager ou commencer l'école

La quantité d'informations absorbées visuellement par un bébé ou un jeune enfant est remarquable. Dès leur jeune âge, les enfants s'acclimatent à leur milieu et créent des liens avec les choses, qu'il s'agisse de simples objets, de meubles ou d'une pièce. Par conséquent, déménager n'est pas rien pour un enfant.

Commencer l'école est une autre chose qui fait peur à un jeune enfant. Pour surmonter des peurs éventuelles, insérez une gamme d'histoires différentes qui traitent du changement dans vos sessions de lecture. Souvent, l'aspect le plus éprouvant de commencer l'école ou d'en changer, c'est la crainte de ne pouvoir se faire de nouveaux amis et d'être privé du réconfort

---

Mettez l'accent sur les aspects positifs

Réfléchissez d'abord à la situation que vous voulez exploiter dans votre conte – un nouveau frère ou une nouvelle sœur, la séparation ou le divorce des parents, un déménagement, un séjour à l'hôpital, un changement d'école, etc. L'histoire n'a pas besoin d'être compliquée, tant et aussi longtemps que le problème est mis de l'avant et que les peurs quelconques que pourrait éprouver votre enfant sont abordées. Assurez-vous que l'accent est toujours mis sur les aspects positifs de la situation et que la fin est satisfaisante.

Une histoire de nouveau petit frère ou de nouvelle petite sœur

Il était une fois une jeune princesse (*ou prince*) appelée (*insérez le prénom de votre enfant*). C'était une princesse très chanceuse, parce qu'elle vivait au château avec sa maman et son papa, la reine et le roi, qui l'aimaient et la chérissaient vraiment. Sa vie était magique et elle adorait s'amuser avec tous ses jouets et courir dans le parc du château ; néanmoins, elle se sentait parfois un peu seule et souhaitait avoir quelqu'un d'autre avec qui jouer. Quelqu'un qui soit petit et amusant comme elle. Un jour qu'elle était assise tout près du puits magique à souhaits, une petite fée rose apparut.

— Qu'y a-t-il (*insérez le prénom de votre enfant*) ? Tu as vraiment l'air maussade, dit la fée.

— Je vais bien, répondit la princesse (*le prénom de votre enfant*). Je souhaiterais seulement avoir quelqu'un avec qui jouer.

— Alors, ton souhait a été entendu, parce que je connais un secret, déclara la fée en souriant.

— Un secret ? demanda la princesse (*le prénom de votre enfant*).

— Oh oui ! Le roi et la reine ont un très grand secret et ils te le révéleront bientôt.

Sur ces mots, la fée s'envola, laissant la princesse (*le prénom de votre enfant*) vraiment très intriguée.

Ce soir-là, le roi et la reine vinrent dans la chambre de la princesse et s'assirent au bord de son lit. Le roi conta à la princesse son histoire pour faire dodo et, quand il eut terminé, ses deux parents l'embrassèrent.

— Nous avons quelque chose à te dire, murmura la reine.

— Est-ce un secret magique ? demanda la princesse.

— Tout à fait, acquiesça la reine avec un sourire. Tu auras bientôt un petit frère.

Un petit frère, songea la princesse (le prénom de votre enfant). Qu'est-ce que ça voulait dire ? Serait-il rose et tout plissé ? Pleurerait-il beaucoup ? Et, s'il y a un autre bébé, le roi et la reine auront-ils du temps pour moi ? Voudront-ils encore de moi ?

Cette nuit-là, la fée lui apparut en rêve. Elle lui tapota délicatement le front avec sa baguette étincelante.

— Ce ne sera pas comme tu penses, dit-elle. Avoir un petit frère sera un bonheur.

— Tu n'en sais rien, soupira la princesse (*le prénom de votre enfant*). Qu'arrivera-t-il si le roi et la reine ne veulent plus de moi ?

— Ils voudront toujours de toi, gloussa la fée. Ils vous aimeront tous les deux, ton frère et toi, et vous vous aimerez l'un l'autre. Attends, tu verras bien.

Sur ces mots, la fée parsema les paupières de la princesse (*le prénom de votre enfant*) de poudre rose de fée et elle sombra dans un bon et profond sommeil.

De nombreux jours plus tard, le bébé frère arriva. Il était rose, tout ridé et, comme prévu, il pleura un peu. Mais il était aussi adorable et, lorsqu'il voyait sa sœur regarder dans son berceau, il souriait et tendait les bras vers elle. Avec sa main minuscule, le petit prince s'agrippait aux doigts de sa sœur (*le prénom de votre enfant*), qui se sentait alors fondre à l'intérieur. La princesse (*le prénom de votre enfant*) réalisa bientôt qu'avoir un bébé frère voulait dire qu'elle était encore plus aimée qu'auparavant, parce qu'il y avait quelqu'un d'autre dans son monde qu'elle pouvait chérir et qui la chérirait en retour. Elle avait aussi un compagnon de jeu et, ainsi, la petite princesse (*le prénom de votre enfant*) ne se sentit plus jamais seule !

BONS CONSEILS
POUR ABORDER UN DÉMÉNAGEMENT OU L'ENTRÉE À L'ÉCOLE

Inventorier les aspects positifs et négatifs — Comme dans l'histoire du nouveau frère ou de la nouvelle sœur (*voir à la page 88*), dressez une liste des aspects positifs et négatifs, puis assurez-vous d'aborder chacun dans votre conte.

Ajoutez-y de la magie — Mettez du piquant dans l'aventure d'un nouveau foyer en introduisant un élément de magie. Par exemple, incluez une porte ou un tapis magique qui serait un portail ouvrant sur des mondes nouveaux et excitants. Vous pourriez même créer une série de courtes aventures et, si votre enfant est assez vieux, encouragez-le à participer et à proposer ses propres idées.

Utilisez un jouet ou un personnage favori dans votre conte — Faites de l'animal en peluche préféré de votre enfant le personnage central d'une histoire touchante. Par exemple, l'Ourse Ursule part en mission de reconnaissance vers la nouvelle maison ou école; elle est emportée dans une aventure, puis elle revient et rapporte que sa mission a été extraordinaire. Ou songez à introduire un personnage très aimé comme Donald Duck. Racontez la journée lors de laquelle sa maman décida de le changer de mare, ce qui lui fit rencontrer de nouveaux amis canetons, ou, alors que Donald était caneton, sa première journée à l'école. Utilisez les peurs et les problèmes de Donald pour présenter le sujet à votre enfant.

Inventez des histoires qui incluent les compagnons (compagnes) de jeu actuels de votre enfant — Essayez de créer des histoires qui se déroulent dans le futur, alors que votre petit aura changé de maison ou commencé l'école. Assurez-vous d'inclure les amis (amies) de votre enfant, de même que maman, papa et d'autres membres de la famille. De telles histoires l'aideront à voir qu'il bénéficie toujours de la sécurité de ses vieux amis et de sa famille et de l'excitation de se faire aussi de nouveaux amis!

des parents. Par conséquent, assurez-vous d'aborder la question dans les histoires que vous contez.

Le séjour à l'hôpital

Personne n'aime séjourner à l'hôpital et c'est encore plus intimidant pour le jeune enfant, qui se sent vulnérable et confus. Le meilleur moyen de traiter de tels sentiments à l'aide des contes, c'est de se concentrer sur la nature magique des hôpitaux. À cette fin, utilisez la structure d'histoire ci-dessous, qui est très simple.

Bébé ne se sent pas bien.

Le roi et la reine l'emmènent à l'hôpital des fées.

Bébé est inquiet, car il n'est jamais allé dans un hôpital de fées auparavant.

Il découvre bientôt que l'hôpital est un lieu magique où se trouvent beaucoup d'autres bébés comme lui.

Il se fait une foule de nouveaux amis.

Les fées médecins et infirmières jettent un sort magique et donnent à Bébé une jolie potion guérisseuse pour qu'il se sente mieux.

Bientôt, Bébé gambade partout et il est beaucoup plus heureux.

Le roi et la reine organisent une grande fête pour célébrer le retour de Bébé et invitent tous ses nouveaux amis.

BONS CONSEILS
POUR PRÉPARER VOTRE BÉBÉ
À ALLER À L'HÔPITAL

Histoire en images – Si votre enfant est assez vieux pour ce faire, vous pouvez dissiper la peur de l'hôpital en créant une histoire en images se déroulant dans un hôpital. Demandez à votre enfant de contribuer aux images et de proposer des personnages amusants qui vivent à l'hôpital. Par exemple, des lutins et des farfadets qui sortent la nuit pour faire le ménage et distraire les enfants.

La séparation et le divorce

Les parents qui se quittent ne sont jamais un sujet simple qu'on aborde avec un enfant, mais vous pouvez lui faciliter la compréhension de la situation en ayant recours à la structure d'histoire qui suit.

Maman et Papa vivent avec Bébé, qu'ils aiment beaucoup.

Maman et Papa veulent que leur bébé soit heureux et, pour qu'il en soit ainsi, il faut qu'ils soient heureux eux-mêmes, parce que, comme tout le monde le sait, le bonheur se répand par la magie du sourire.

Maman et Papa décident de trouver leurs sourires magiques dans des maisons différentes, ce qui veut dire que Bébé aura deux maisons et deux lieux où il se sentira aimé et heureux.

Maman et Papa sourient de plus en plus et la magie se répand jusqu'à ce que Bébé reçoive une double dose de bonheur.

BONS CONSEILS
POUR INTRODUIRE UNE SÉPARATION
OU UN DIVORCE

Utilisez une image positive – Utiliser l'idée d'un sourire comme base de votre histoire rend la chose plus facile à comprendre par votre tout-petit. Il appréciera aussi le sujet de l'histoire et que la fin soit heureuse.

Généralisez – Dans le cas de sujets accablants comme la séparation et le divorce, il est préférable de rendre l'histoire objective, plutôt que d'y insérer votre enfant en utilisant son prénom. Le but de départ, c'est d'aider votre enfant à s'habituer à l'idée avant de passer à l'étape suivante et de l'insérer dans l'histoire. Par conséquent, répétez le conte en utilisant des personnages auxquels votre enfant peut s'identifier pour ré-affirmer l'issue positive de la situation. Ensuite, procédez à la substitution et racontez l'histoire en mettant votre tout-petit et vous-même en scène.

LIVRES SUGGÉRÉS

Attendre un petit frère ou une petite sœur
Dre Catherine Dolto
Tous les livres (il en existe des dizaines dans la collection «Mine de rien…», comme *La naissance*, *La peur*, *Si on parlait de la mort*, *Les urgences*, *L'opération*, *Des amis de toutes les couleurs*, etc.) de cette auteure célèbre ont pour commun dénominateur de se préoccuper d'abord et avant tout des sentiments, des attentes, des espoirs et des craintes des enfants. Celui-ci ne fait pas exception et il est illustré avec beaucoup de délicatesse et de franchise.

Au revoir Blaireau
Susan Varley
C'est l'histoire tout en nuances de la mort d'un blaireau et de ses amis qui l'évoquent à l'aide des cadeaux qu'il leur a faits avant de partir. Les illustrations sont très réussies. Excellent pour les jeunes enfants.

Boule de lumière
Lucie Roberge et Jean-Mathieu Bergeron
Précieux outil pour aider les enfants à accepter la séparation de leurs parents. Échange serein utile pour briser l'isolement intérieur de l'enfant et lui procurer à nouveau le bien-être. Ce conte interactif est accompagné d'un guide d'utilisation pour adultes.

Boule de rêve
Lise Thouin
Un instrument qui n'impose rien ; un instrument de tendresse, d'espoir et de joie pour celui qui reste et pour celui qui part. À l'image du travail de l'ex-comédienne auprès des enfants malades, son livre est une œuvre d'une grande délicatesse et d'un profond respect.

La mort

La mort est difficile à affronter pour quiconque mais, pour un enfant, c'est probablement la plus angoissante des choses qu'il doit arriver à comprendre. La mort affecte le besoin essentiel de sécurité et suscite la peur d'être abandonné. Savoir qu'il ne verra plus jamais une personne est quelque chose que, au départ, un petit enfant ne saisit pas; néanmoins, avec le temps, le sentiment de perte s'accroît à mesure que l'enfant absorbe la réalité de ce qui est arrivé. Intégrer des histoires simples à propos de la vie et de la mort dans vos sessions de lecture aidera votre enfant à comprendre la nature de la perte et du deuil et les cycles de la vie. Il n'est pas nécessaire que ces contes soient lourds et morbides. Vous pouvez tirer des exemples de la nature (le passage des saisons, les feuilles changeant de couleur, puis tombant sur le sol avant que de nouvelles pousses apparaissent). Vous pouvez aussi utiliser des contes folkloriques, qui sont souvent magiques et dans lesquels un enfant peut facilement s'engager, sans devenir accablé. Dans le cas d'un sujet aussi substantiel, l'idée est de le simplifier et de dissiper tout interdit, pour en faire quelque chose que votre enfant comprendra éventuellement comme l'ordre naturel des choses.

BONS CONSEILS
POUR DES HISTOIRES TRAITANT DE LA MORT

Adoucissez les contes traditionnels – Les contes de fées peuvent être très horribles dans la manière d'aborder la mort. Songez au sort de la mère-grand dans *Le Petit Chaperon rouge*. Plutôt que d'éviter complètement le sujet, abordez-le de façon plus délicate. Parlez de la grand-mère et suggérez que, en dépit du fait qu'elle a été tuée par le loup, elle vit toujours dans le cœur et l'esprit du Chaperon rouge. Peut-être veille-t-elle sur sa petite-fille, afin qu'elle soit toujours heureuse et en sécurité.

Cherchez des contes folkloriques provenant de partout dans le monde – Il existe de belles histoires amérindiennes qui traitent de la mort en lui donnant un angle spirituel positif. Par exemple, une légende cheyenne raconte qu'une jeune fille et ses sept frères se précipitèrent dans la mort, mais pour devenir des étoiles brillantes dans le ciel. L'araignée Anansi, dans des contes originaires de l'Afrique de l'Ouest, est toujours prête à faire un mauvais coup et frôle souvent la mort; toutefois, elle renaît chaque fois plus forte et plus intelligente.

Utilisez les jouets pour illustrer le cycle de la vie et de la mort – Plutôt que de parler des gens, utilisez des poupées ou des peluches en guise d'exemples. Ainsi, quand la poupée Taches de Rousseur est née, on l'aimait et ses compagnons de jeux humains jouaient avec elle. Puis, quand elle a été prête, elle s'en est allée au Paradis des Jouets, où elle a beaucoup de plaisir avec tous les autres jouets.

Heureux jusqu'à la fin de leurs jours

J'aime à penser que faire la lecture aux bébés est un peu comme planter le décor d'une bonne histoire. Vous mettez en place tout ce dont les bébés ont besoin pour progresser sur la voie de l'alphabétisation et apprécier les histoires de leur vie. Vous contribuez à créer des climats, à développer des personnages et à décrire un milieu. C'est à partir de là que votre enfant peut faire son bout de chemin, explorer le langage et participer au monde qui l'entoure.

Par exemple, prenez *Les trois petits cochons*, un conte mentionné à quelques reprises dans ce livre. Vous pouvez choisir d'être comme le premier petit cochon et ne pas vous soucier de faire la lecture à votre bébé. Après tout, il est si petit et ne comprend rien à ce que vous dites. En plus, tant d'autres choses vous occupent qu'il est difficile de trouver du temps. Par conséquent, vous bâtissez votre « maison d'histoires » en paille. Le grand méchant loup se présente et, en un rien de temps, son souffle la dissémine aux quatre vents. Il n'y a rien qui ait de la substance pour tenir ensemble les éléments de la maison : ni compréhension du langage ni appréciation des livres et des images, et les habiletés de pré-lecture mentionnées dans le Chapitre 3 sont rares.

D'un autre côté, vous pouvez décider d'être comme le deuxième petit cochon. Vous voulez lire à votre bébé, mais vous ne voyez pas l'intérêt de

commencer dès la naissance. Vous trouvez difficile aussi d'en faire une activité régulière et vous doutez de l'intérêt de laisser d'autres adultes et enfants partager leurs histoires avec votre enfant. Après tout, votre bébé est votre bébé! Alors, vous bâtissez votre « maison d'histoires » en branches et, pendant un temps, elle tient le coup. Mais rappelez-vous que vous avez tourné les coins ronds et qu'il faudra seulement que le loup fasse quelques efforts supplémentaires pour que votre maison s'effondre. Votre enfant a une compréhension du langage et des livres, mais il a toujours besoin d'élargir ses perceptions et ses horizons, d'être exposé à des langues et des parlers différents afin que les bases de son développement soient solides.

Ou encore, vous pouvez décider d'être le troisième petit cochon, de soutenir et d'encourager votre bébé le plus possible. Vous allez commencer à lui faire la lecture dès sa naissance. Vous allez essayer, mettre en pratique quelques exercices créatifs et l'exposer un à vocabulaire étendu. Oui, et cela exigera plus de travail et d'efforts, mais ce sera agréable et cela vous liera beaucoup l'un à l'autre. Le grand méchant loup pourra se présenter et tenter de souffler votre maison en l'air, mais il échouera encore et encore, parce que vous aurez posé des bases très solides. Vous aurez donné à votre bébé les outils dont il a besoin pour savourer le langage et, plus encore, voir et faire l'expérience des bénéfices de la lecture.

J'espère que ce livre vous a donné un aperçu de la valeur de faire la lecture à votre bébé et vous a aidé à savoir quand et où commencer. Comme il y a beaucoup de ressources sur le marché, prenez du plaisir à explorer. Utilisez les exercices de ce livre comme point de départ et sentez-vous libre d'expérimenter, en adaptant les choses à mesure. Vous apprendrez ce que votre bébé apprécie et ce qui le touche en observant ses réactions. Traitez celles-ci comme un baromètre durant vos sessions de lecture et vous ne pourrez pas vous tromper!

Les histoires peuvent être utilisées de tant de façons différentes pour développer le langage et l'alphabétisation, pour améliorer les habiletés de communication et la parole, pour enseigner et soigner. Surtout, faire la lecture à votre bébé est une manière de passer un temps précieux ensemble et d'établir ces liens qui feront de vos rapports quelque chose d'unique.

Bonne lecture!

Index

Remerciements

Je tiens à remercier Carroll & Brown pour tout le travail accompli par l'équipe pour rendre la présentation de mon livre si fabuleuse. Merci à vous tous, aussi, les mamans, les papas, les enfants et les bébés qui m'ont aidée pour la photographie.

Je tiens aussi à remercier ma maman pour m'avoir fait la lecture quand j'étais bébé, d'où mon amour des livres, et mon papa pour toutes ces histoires à l'heure du dodo qui mettaient en vedette Roger le Rouge-gorge.

Finalement, je dédie ce livre à Thomas et Violet, deux adorables bébés qui découvrent déjà la joie des livres et la magie de la lecture.

Crédits photographiques

Photolibrary.com
p. 2, p. 4, p. 8, p.10-11, p.16-17, p. 22-23, p. 24, p. 34, p. 35, p. 38-39, p. 42, p. 46-47, p. 51, p. 52-53, p. 62-63, p. 74-75, p. 76, p. 79, p. 81, p. 84, p. 87, p. 89

Professeur Stuart Cambell p.12

Illustrations par Mark Buckingham